Shortcuts to Success

Irish:
Leaving Certificate Higher Level
An Aiste; Cluastuiscint; Stair na Teanga

Elaine Mullins
Peadar Ó Ceallaigh

Gill & Macmillan

Gill & Macmillan Ltd
Ascaill Hume
An Pháirc Thiar
Baile Átha Cliath 12
agus cuideachtaí comhlachta ar fud an domhain
www.gillmacmillan.ie

978 0 7171 4186 9

Clóchuradóireacht bhunaidh arna déanamh in Éirinn ag
Dearadh le TypeIT, Dublin

*Rinneadh an páipéar atá sa leabhar seo as laíon adhmaid ó fhoraoisí
rialaithe. In aghaidh gach crann a leagtar cuirtear crann amháin
eile ar a laghad, agus ar an gcaoi sin déantar athnuachan ar
acmhainní nádúrtha.*

Clár

Section A
An Aiste

Section B
Stair na Teanga

Section C
An Chluastuiscint

SECTION A
An Aiste

i. Some guidelines to help you to prepare for this question

- You choose one question to answer from A,C,D.
- Aim to write 600 words for maximum marks.
- This question carries 100 marks.
- Spend between 60 and 70 minutes on this question.
- **It's a test of your Irish language ability, not your knowledge of current affairs.**
- **The majority of the marks (80%) go for your Irish; only 20% is for knowledge or ideas.**
- So quality of language is what matters most; information and ideas are of minor importance.
- The same guidelines apply to A, C or D.
- Keep it very simple if you are short of time.

ii. Key topics

A certain pattern of topics come up in A, C or D.
This list covers most of the common topics:

Gaeilge; TG4, An Ghaeltacht, an todhchaí *the future*

Na meáin chumarsáide; tionchar na meán *influence of media*, an Ghaeilge.

Fadhbanna; coiriúlacht *crime*, drugaí i gcúrsaí spóirt agus sa tsochaí, sláinte agus bia, tobac, alcól, an Tíogar Ceilteach/saint agus rachmas, gorta, bochtaineacht, polaitíocht/polaiteoirí, ciníochas *racism*, teifigh/dídeanaithe *refugees*, mionlaigh *minorities*, seandaoine, foréigean *violence*, sceimhlitheoireacht *terrorism*, síocháin *peace*, cogaíocht *war*, baol agus bagairt *danger and threat*.

Scoil/oideachas; torthaí a fhoilsiú go poiblí *publication of results*, córas na bpointí *points system*, tionchar na scoile ar an saol *influence of school on life*.

An tAos óg; fadhbanna an aosa óig *problems of young people*, ní fhaigheann siad éisteacht *they are not listened to*, réaltaí: an iomarca tionchair *stars: too much influence*.

Éire; neodracht *neutrality*, an ról atá ag arm na hÉireann, an Eoraip, turasóireacht, an timpeallacht, Éireannachas: cad é féin?

As you can see, problems relating to social and worldwide issues come up more often than any other topics. School, young people and their problems come up regularly also. Anything topical which you learned for your Oral can be used in the essay section also.

Take the time to look at every section for a topic you can do. Remember each one of them is essentially an essay, with only minor changes needed to turn, say, an *Alt* into a *Díospóireacht* or an *Óráid*. This is with the exception of B, which is the *Scéal* section. This should only be approached as a story.

iii. The plan

It would be impossible to learn a separate essay for every topic that might come up, as there are so many of them. To cut back on your workload and increase your confidence on the day of the exam, we suggest you follow the simple plan given here for all your essays from now on. The essay question will soon seem a lot more manageable if you do.

The plan remains the same for every essay:

- Quite simply, you need one or two points on the specific topic for each paragraph. These can be very simple ordinary, everyday items of information.

- The rest of your paragraph is then made up of 'fillers': *nathanna cainte, seanfhocail* and comments that are so general, they would suit any topic. You have already learned these and they can be used and re-used for any essay.
- Aim to write between five and six paragraphs. Each paragraph and sentence is taken on its own merits.
- For a six-paragraph essay you will need to have six of each phrase: *mothúcháin, seanfhocail, ceisteanna* etc. to choose from.
- Phrases can be swapped around between paragraphs.
- You can change the order of the sentences here and there.
- If you follow this plan, three quarters of your essay can be prepared and learned before the exam. This will save you a lot of panic on the day.

This is the essay plan for each essay you will find in this guide:

Ráiteas – this is your point of information or statement on the topic of the essay.

Gaeilge – a filler: this will be a good general sentence which you have learned.

Sampla – this is an example which illustrates your first statement.

Mothúcháin – your feelings on the subject.

Seanfhocal – a saying which further illustrates your point, again a filler.

Ceist – ask a rhetorical question to vary the way you present your points.

Freagra – answer your question, which is also a filler.

So it could all go much like this:

This is a final paragraph for an essay on Sceimhlitheoireacht *terrorism*

Anything in **Bold** text is a filler, which you will have learned previously.

Níl aon tír ar domhan, beag ná mór, nach bhfuil faoi bhagairt na sceimhlitheoireachta. **Ní imní gan údar é.** Tógaimis cás Mheiriceá agus na Spáinne le cúig bliana anuas. D'ionsaigh sceimhlitheoirí an Dá Thúr i Nua-Eabhrac agus na traenacha i Madrid. **Goilleann sé go mór orm a leithéid a** fheiceáil. An bhfuil réiteach ann? Dar ndóigh ní neart go cur le chéile. Mura ndéanfar iarracht an cás a réiteach, ní bheidh leigheas air choíche. B'fhéidir gurb í eagraíocht na Náisiún Aontaithe **an deis is fearr atá againn chun deireadh a chur leis an** sceimhlitheoireacht **anois agus go deo.**

iv. Lists from which you choose your fillers

Remember you will only need enough to write one essay on the day. Choose the fillers you find the most useful and the ones you find easiest to remember now and practise using them. The more you use them now, the easier it will be to put the essay together on the day of the exam.

Starters and fillers

Paragraph starters:

Feictear domsa go bhfuil/go mbíonn/go raibh/go mbeadh... *It seems to me that...*

Taibhsítear domsa... *It seems to me...*

Is é mo thuairim láidir... *It is my strong belief that...*

Is léir domsa... *It is clear to me that...*

Is dóigh liom... *I think that...*

Dar liomsa... *In my opinion...*

Go bhfios dom... *As far as I know...*

Ní féidir a shéanadh... *It cannot be denied that...*

Tráth dá raibh... *Once upon a time...*

Useful asides:

Gan amhras *Without a doubt*

Dáiríre píre *Really and truly*

Domhnach is dálach *Day in, day out*

Cinnte *Certainly*

I ndeireadh na dála *At the end of the day*

Ar na saolta deireanacha seo *These days/this past while*

You will need some information for two elements: **Ráiteas** agus **Sampla**.

It can be very simple everyday information. It is difficult to think of an essay where the sentences below could not be used, as they are so general.

Ráiteas

Feictear domsa gur fadhb mhór é/í ar fud an domhain [*or you could use* sa tír, sa chontae, sa chathair]. Tarlaíonn sé chuile áit.

It seems to me that this is a major problem all over the world. It happens everywhere.

Caithfear a rá gur mallacht uafásach ar an tsochaí iad drugaí (alcól, dramhaíl/bruscar, sceimhlitheoireacht…).

It must be said that drugs are a terrible curse on society.

Sampla

I ngach mór-roinn ar domhan tá an fhadhb seo le feiceáil.

This problem can be seen on every continent.

Gaeilge

Ní beag a bhfuil ráite faoi.

Much has been said about this.

Is léir do chách an baol atá ann.

Everyone can see the danger there.

Is iomaí cúis atá leis.

There are many reasons for this.

Is mór idir inné agus inniu.

How things have changed.

Cén dochar?

Where's the harm?

Is bocht an scéal é.

It is a terrible state of affairs.

Ag éirí air atá.

It is getting worse.

Is é an feic saolta é.

It is a disgrace.

Is náire shaolta é.

It is a disgrace.

Mise i mbannaí duit gur náire shaolta é.

I am certain that this is a disgrace.

Ag dul in olcas atá cúrsaí.

It is getting worse.

Ní neart go cur le chéile.

We must unite to bring about change.

Ní mór dúinn a bheith ar an airdeall!

We must be on the alert!

Níl gar a shéanadh.

There is no point in denying it.

Tá an fhadhb chomh sean leis na cnoic.

This problem is as old as the hills.

Tá réiteach na ceiste seo chomh sleamhain le heireaball eascainne.

The solution to this problem is very tricky (as slippery as the tail of an eel).

Níl gar i gcaint.

There is no point in talking.

Caithfear an gníomh a chur leis an bhfocal.

The action must accompany the talk.

De dhéanta na fírinne, ansin atáimid meallta.

To tell the truth, this is where we are deceived.

Is ansin atá an saol mór meallta.

(Here is where) we have all been deceived.

Ní imní gan údar acu é.

Their fear is justified.

Bhuel, is fearr go mall ná go brách.

Better late than never.

Mothúcháin

Táim cinnte dearfa de.

I am certain of this.

Sin rud atá ag dó na geirbe agam.

That is something which is worrying me.

Táim in umar na haimléise mar gheall air/orthu.

I am very despondent about (this/them)

Táimid dubh dóite de.

We are sick of this.

Dáiríre píre ní ró-mhaith an sampla atá ar fáil againn ó dhaoine fásta.

Certainly the example from adults is not very good.

Goilleann sé go mór orm a leithéid a fheiceáil.

It grieves me greatly to see such a thing.

Ní leor deora.

Tears are not enough.

Buaileann spadhar mé nuair a smaoiním ar a leithéid.

I am horrified to think of this happening.

Nach baoth an mhaise dúinn é?

Aren't we the vain fools?

Bímid bodhar ar dhea-chomhairle.

We are always deaf to good advice.

Ní beag a bhfuil ráite faoi ró-chaiteachas na linne seo.

Much has been said of the extravagance of our times.

Ní haon ionadh go mbíonn (na Glasaigh) ag gearán.

It is no wonder that (The Greens) complain.

Tá nimh san fheoil acu dá chéile.

They hate each other.

Chuaigh sé rite leo é a dhéanamh, go bhfios dom.

It was not an easy task, as far as I know.

Táim chomh cinnte is atá cros ar asal.

I am certain of this.

B'fhearr liom sioc sa samhradh ná é.

I'd prefer to see frost in summer than this.

Seanfhocail

Bhuel, is maith an scéalaí an aimsir.

Time will tell.

Is mór idir inné agus inniu.

Things have changed.

Bhuel, is fearr go mall ná go brách.

Better late than never.

I dtús na haicíde is fusa í a leigheas.

Problems are best nipped in the bud.

Is ait an mac an saol.

Life is strange.

Deirtear gur i dtús na haicíde is fusa í a leigheas (agus caithfear a rá gur fíor sin sa chás seo).

It is said that problems are best nipped in the bud (and this is certainly true in this case).

Is fearr an tsláinte ná na táinte.

Health is better than wealth.

Aigne shlán i gcorp folláin.

A healthy mind in a healthy body.

Ar scáth a chéile a mhaireann na daoine.

Working together is always better.

Bhuel, ní neart go cur le chéile.

Well, no strength without unity.

Mar a deir an seanfhocal, níl maith sa seanchas nuair atá an anachain déanta.

As the saying goes, there is no point in complaining when the damage is already done.

Níl dlí ar an riachtanas.

In an emergency, rules are not followed.

Go minic cloistear nach bhfuil sprid ná púca gan fios a chúise (agus is léir go bhfuil cúiseanna ar leith leis an bhfadhb seo).

Often you hear that nothing happens without a reason (and it is clear that there are particular reasons for this problem).

Dá mbeadh soineann go Samhain bheadh breall ar dhuine éigin (agus gan amhras, ní féidir gach duine a shásamh le plean ar bith).

As the saying goes, you cannot please everyone.

Ní fiú a bheith ag cásamh an bhainne dhoirte, áfach.

No point in crying over spilled milk (when the damage is already done).

An té a bhíonn amuigh fuarann a chuid.

If you are not there you lose your chance.

Gan amhras, cad a dhéanfadh mac an chait ach luch a mharú.

Indeed, like father, like son.

Ní féidir ceann críonna a chur ar cholainn óg.

You cannot put an old head on young shoulders.

Mar a deir an seanfhocal, i ndiaidh a chéile a thógtar na caisleáin.

As the old saying goes, Rome wasn't built in a day (everything takes time).

Is maith an t-anlann an t-ocras.

Any food seems tasty to a hungry person.

In ithe na putóige a bhíonn a tástáil.

The proof of the pudding is in the eating.

Tá lán mara eile san fharraige.

There are plenty more fish in the sea.

Ní bhíonn saoi gan locht.

Everyone makes mistakes.

Mol an óige agus tiocfaidh sí. Éireoidh go maith le daoine óga má mholtar iad.

As the saying goes, praise youth and they will succeed.

Ní thig leis an ngobadán an dá thrá a fhreastal agus is fíor sin.

As the saying goes, the sandpiper can't play on two beaches at the same time (you cannot have it both ways).

Ní bhíonn in aon rud ach seal (agus ní beag a bhfuil ráite faoi ró-chaiteachas na linne seo).

Nothing lasts forever (and much has been said of the rampant extravagance of our times).

An té is mó gníomh is é is lú buíochas (a deir an seanfhocal agus is fíor sin ach tá na polaiteoirí lánsásta leo anois nuair atá an obair go léir déanta).

Those who work hardest, get the least praise (goes the old saying and politicians are certainly delighted now all the work is already done for them).

Níl aon tinteán mar do thinteán féin.

No place like home.

Caitear an cairde agus ní mhaitear na fiacha.

Procrastination is the thief of time (act now).

(Anything contained in brackets is useful if you can manage it, but not essential)

Ceist

An bhfuil fuascailt na faidhbe le fáil?

Is a solution to the problem to be found?

An bhfuil réiteach na faidhbe le fáil in aon chor?

Is there a solution to this problem at all?

An bhfuil réiteach ar an bhfadhb?

Is there a solution to the problem?

An bhfuil rogha eile ann?

Is there another choice?

An féidir é a athrú?

Can things be changed?

An féidir an fhadhb a réiteach?

Is there a solution?

Conas is féidir é/í a réiteach?

How can this be solved?

An féidir teacht ar shocrú nua?

Can we find a new arrangement/solution?

Conas is féidir fáil réidh leis?

How can we dispose of it/get rid of it?

Freagra

Mura ndéanfar iarracht an cás a réiteach, ní bheidh leigheas air choíche.

If no attempt is made to solve this problem, it will always exist.

Dá gcaithfí go leor airgid ar an gcás d'fhéadfaí é a leigheas.

If enough resources were invested a solution could be found.

Mar sin is dóigh liom gur scéal/próiseas casta fadtéarmach é.

It is a long and complicated process.

Deirtear gur fadhb soréitithe í.

It is said that the problem could be solved easily.

Ní féidir an scéal a leigheas gan athrú intinne suntasach sa tír agus rún daingean dul i ngleic leis an bhfadhb.

Nothing will be solved without a substantial change of mind in the country and real determination to tackle the problem.

Tá an scéal ina phraiseach ach caithfear é a leigheas.

The situation is a mess but must be rectified.

Is léir do chách an baol atá ann.

Everyone can see the dangers here.

Gan amhras, ba chóir deireadh a chur le nósanna áirithe agus cleachtais nua a chur ina n-áit.

Without a doubt, we ought to put an end to certain practices and put new ones in their place.

Bhuel, ní neart go cur le chéile.

Well, no strength without unity.

Teastaíonn comhoibriú agus seasamh daingean chun é a chosc/chun dul i ngleic leis an bhfadhb…

Co-operation and a firm stand are needed to end ...

Teastaíonn comhoibriú agus tuiscint chun é a leigheas.

Co-operation and understanding are needed to solve the problem.

Níl rún na ndaoine láidir go leor chun deireadh a chur leis.

The resolve of the people is not strong enough.

Dá mbeadh plean fadtéarmach ag na húdaráis agus dá mbainfí an leas ab fhearr as na hacmhainní d'fhéadfaí an scéal a leigheas.

If the authorities had a long-term plan and if the resources are put to good use, the problem could be solved.

Caithfear brú a chur ar an rialtas chun glacadh le polasaithe dearfacha.

We must put pressure on the government to accept positive policies (on the issue).

Tá uair na cinniúna chugainn anois agus ní mór do na polaiteoirí rogha a dhéanamh.

The time has come to make a stand and the politicians must make their choice.

Ní dóigh liom go dtarlóidh rud iontach ar bith mar gur fadhb doleigheasta í.

I doubt if anything much will happen, as this seems to be an intractable problem.

Cé gur maith an rud é, níl rún na ndaoine láidir go leor chun athrú a chur i gcrích.

Even though it is a good idea, people are not concerned enough to make a change possible.

Ní dóigh liom go dtarlóidh rud iontach ar bith ann mar leis na cianta cairbreacha ghlac muintir na tíre leis.

I don't think that much good will happen, because for centuries Irish society has accepted this.

Ní dóigh liom sa chás seo go mbeidh athrú ann mar ó thaobh costais agus ama de, bheadh sé dodhéanta.

I don't think in this case that there will be a change because it would prove too costly and time consuming.

Ní leigheasfar an scéal gan athrú intinne suntasach sa tír.

Nothing will change without the will of the people and a big change of heart.

v. Sample essays using the plan

Aiste 1

An timpeallacht agus truailliú

The environment and pollution

Remember your plan and the elements you need to try and include in each paragraph:

- Ráiteas
- Gaeilge
- Sampla
- Mothúcháin
- Seanfhocal
- Ceist
- Freagra

Alt 1

Ráiteas

Feictear domsa gur fadhb mhór é/í ar fud an domhain.

It seems to me that this is a major problem all over the world.

Tarlaíonn sé chuile áit.

It happens everywhere.

Gaeilge

Ní beag a bhfuil ráite faoi.

Much has been said about this.

Tá an fhadhb chomh sean leis na cnoic.

This problem is as old as the hills.

Sampla

I ngach mór-roinn ar domhan tá an fhadhb seo le feiceáil.
This problem can be seen in every continent of the world.

San Eoraip tá fadhb Chernobyl agus ionad dumpála núicléach i Sellafield. Tharla tubaiste uafásach i Chernobyl fiche bliain ó shin agus tá cosmhuintir an réigiúin ag fulaingt fós dá bharr sin. Tá an baol ann i gcónaí sa tír seo go dtarlóidh tubaiste i Sellafield.
In Europe we have the problem of Chernobyl and the nuclear waste site at Sellafield. A terrible accident happened at Chernobyl 20 years ago. In this country there is always the danger that an accident might happen at Sellafield.

Tarlaíonn timpiste i ndiaidh timpiste le hábhar núicléach.
Accidents happen all the time with nuclear material.

Mothúcháin

Táimid dubh dóite de.
We are sick of this.

Seanfhocal

Mar a deir an seanfhocal, níl maith sa seanchas nuair atá an anachain déanta. Gan amhras beidh truailliú ann go deo mura ndéanfar rud éigin suntasach ina thaobh.
As the saying goes, there is no point in complaining when the damage is already done. Certainly, we will always have pollution if nothing substantial is done about it.

Ceist

An bhfuil réiteach ar an truailliú?
Is there a solution to pollution?

Freagra

Bhuel, ní neart go cur le chéile. Teastaíonn comhoibriú agus seasamh daingean chun é a chosc.
Well, no strength without unity. Co-operation and a firm stand are needed.

Put all your elements together to get your first paragraph [Alt 1];

Alt 1

Feictear domsa gur fadhb mhór é ar fud an domhain. Tarlaíonn sé chuile áit. Ní beag a bhfuil ráite faoi. Tá an fhadhb chomh sean leis na cnoic. I ngach mór-roinn ar domhan tá an fhadhb seo le feiceáil. San Eoraip tá fadhb Chernobyl agus ionad dumpála núicléach i Sellafield. Tharla tubaiste uafásach i Chernobyl fiche bliain ó shin agus tá an chosmhuintir ag fulaingt fós dá bharr. Tá an baol ann i gcónaí sa tír seo go dtarlóidh tubaiste i Sellafield. Tarlaíonn timpiste i ndiaidh timpiste le hábhar núicléach. Táimid dubh dóite de. Mar a deir an seanfhocal, níl maith sa seanchas nuair a bhíonn an anachain déanta. Gan amhras beidh truailliú ann go deo mura ndéanfar rud éigin suntasach chun é a stopadh. An bhfuil réiteach ar an truailliú? Bhuel, ní neart go cur le chéile. Teastaíonn comhoibriú agus seasamh daingean chun é a chosc.

Alt 2

Ráiteas

Tá an ciseal ózóin á laghdú lá i ndiaidh lae.
The ozone layer is being depleted every day.

Tá sé an-lag.
It is very weak.

Gaeilge

Ag dul in olcas atá cúrsaí.
It is getting worse.

Sampla

Ionsaíonn ceimiceáin a sceitheann as monarchana an ciseal ózóin.
The ozone layer is attacked by chemicals which are released by factories.

Ionsaíonn ceimiceáin ó ghal gluaisteán an ciseal ózóin.
The ozone layer is attacked by the chemicals which are released by car fumes.

Déanann gathanna na gréine an-dochar do chraiceann daoine.
Fulaingeoidh an cine daonna ailse chraicinn (chnis) dá bharr amach anseo.
The sun's rays cause great harm to human skin. People will certainly suffer from skin cancer as a result of this in the future.

Mothúcháin

B'fhearr liom sioc sa samhradh ná é.
(This really bothers me) I'd prefer to see frost in the summer.

Seanfhocal

Deirtear gur i dtús na haicíde is fusa í a leigheas agus caithfear a rá gur fíor sin sa chás seo.
It is said that problems are best nipped in the bud and this is certainly true in this case.

Ceist

An bhfuil réiteach ar an bhfadhb?
Is there a solution?

Freagra

Gan amhras, ba chóir deireadh a chur le nósanna áirithe agus cleachtais nua a chun ina n-áit chun timpeallacht an phláinéid a shábháil.
Without a doubt, we ought to stop these bad practices and establish new ones to save the planet.

Alt 2

Is léir domsa go bhfuil an ciseal ózóin á laghdú lá i ndiaidh lae. Tá sé an-lag. Ag dul in olcas atá cúrsaí. Ionsaíonn ceimiceáin a sceitheann as monarchana an ciseal ózóin. Ionsaíonn ceimiceáin ó ghal gluaisteán an ciseal ózóin. Déanann gathanna na gréine an-dochar do chraiceann daoine. Fulaingeoidh an cine daonna ailse chraicinn dá bharr amach anseo. B'fhearr liom sioc sa samhradh ná é. Deirtear gur i dtús na haicíde is fusa í a leigheas agus caithfear a rá gur fíor sin sa chás seo. An bhfuil réiteach ar an bhfadhb? Gan amhras, ba chóir deireadh a chur le nósanna áirithe agus cleachtais nua a chun ina n-áit chun timpeallacht an phláinéid a shábháil.

Alt 3

Ráiteas

Níl truailliú na n-aibhneacha leigheasta go fóill.
The problem of pollution in our rivers has yet to be solved.

Tá uisce na tíre salach lofa.
Water in this country is contaminated.

Gaeilge

Is náire shaolta é.
It is a disgrace.

Sampla

Maraíodh míle iasc an lá cheana ag eisilteach ó mhonarcha.
Thousands of fish were killed recently due to effluent from a factory.

Scriosadh loch eile ag ceimiceáin agus sadhlas feirme.
A lake was destroyed by chemical and silage spills from farming.

Tarlaíonn timpiste i ndiaidh timpiste le hábhar fuíll.
Accidents happen all the time with waste material.

Mothúcháin

Sin rud atá ag dó na geirbe agam.
That is something which is irritating me.

Seanfhocal

Go minic cloistear nach bhfuil sprid ná púca gan fios a chúise agus is léir go bhfuil cúiseanna ar leith leis an bhfadhb seo.
Often you hear that nothing happens without a reason and it is clear that there are particular reasons for this problem.

Ceist

Conas is féidir é a réiteach?
How can this be solved?

Freagra

Is léir do chách an baol atá ann.
Everyone can see the dangers here.

Dá gcaithfí go leor airgid ar an gcás d'fhéadfaí é a leigheas.
If resources were spent on this, the problem could be solved.

Alt 3

Is dóigh liom nach bhfuil truailliú na n-aibhneacha leigheasta go fóill. Tá uisce na tíre salach lofa. Is náire shaolta é. Maraíodh míle iasc an lá cheana ag eisilteach ó mhonarcha. Scriosadh loch eile ag ceimiceáin agus sadhlas ó fheirmeacha. Tarlaíonn timpiste i ndiaidh timpiste le hábhar fuíll. Sin rud atá ag dó na geirbe agam. Go minic cloistear nach bhfuil sprid ná púca gan fios a chúise agus is léir go bhfuil cúiseanna ar leith leis an bhfadhb seo. Conas is féidir an scéal a réiteach? Is léir do chách an baol atá ann. Dá gcaithfí go leor airgid ar an gcás d'fhéadfaí é a leigheas.

Alt 4

Ráiteas

Tá a lán cathracha an-truaillithe.
A lot of cities are very polluted.

Tá aer na cathrach seo bréan.
The air in this city is rotten.

Gaeilge

Ag dul in olcas atá cúrsaí.
Matters are getting worse.

Sampla

Tá galar scamhóg ag éirí níos coitianta i measc an phobail lá i ndiaidh lae.
The incidence of lung disease among the population is increasing daily.

Scaoiltear séarachas amh isteach san fharraige.
Untreated sewage is released into the sea.

Mothúcháin

Goilleann sé go mór orm a leithéid a fheiceáil.
That is something which horrifies me.

Seanfhocal

Ní fiú a bheith ag cásamh an bhainne dhoirte, áfach.
No point in crying over spilled milk.

Ceist

An féidir teacht ar shocrú nua?
Can we find a new solution?

Freagra

Tá an scéal ina phraiseach ach caithfear é a fheabhsú.
It is a mess but the situation must be improved.

Dá gcaithfí go leor airgid ar an gcás d'fhéadfaí é a leigheas.
If enough resources are invested the solution could be found.

Alt 4

Dar liomsa, tá an truailliú sna cathracha go holc. Tá aer na cathrach seo bréan. Ag dul in olcas atá cúrsaí. Tá galar scamhóg ag éirí níos coitianta i measc an phobail lá i ndiaidh lae. Scaoiltear séarachas amh isteach san fharraige. Goilleann sé go mór orm a leithéid a fheiceáil. Ní fiú a bheith ag cásamh an bhainne dhoirte áfach. An féidir teacht ar shocrú nua? Tá an scéal ina phraiseach ach caithfear é a fheabhsú. Ach dá gcaithfí go leor airgid ar an gcás d'fhéadfaí é a leigheas.

Alt 5

Ráiteas

Tá fadhb mhór sa tír seo maidir le hathchúrsáil.
We have a huge problem with regard to recycling.

Níl áiseanna athchúrsála ceart againn.
We do not have the correct recycling facilities.

Gaeilge

Tá réiteach na ceiste seo chomh sleamhain le heireaball eascainne.
The solution to this problem is very tricky (as slippery as the tail of an eel).

Sampla

Tógaimis réiteach amháin, an loisceoir, mar shampla.
Take the incinerator solution as an example.

Dónn an loisceoir dramhaíl/bruscar ag teocht an-ard.
The incinerator burns waste at a very high temperature.

Táirgeann sé ceimiceáin bhaolacha ar a dtugtar dé-ocsainí.
It produces dangerous chemicals like dioxins.

Is iad is cúis le hailse i ndaoine.
This causes cancer in humans.

Mothúcháin

Buaileann spadhar mé nuair a smaoiním ar a leithéid.
I am horrified to think of this happening.

Ceist

An bhfuil réiteach na faidhbe le fáil in aon chor?
Is there a solution to this problem at all?

Seanfhocal

Bhuel mar a deir an seanfhocal, dá mbeadh soineann go Samhain bheadh breall ar dhuine éigin agus ní féidir gach duine a shásamh le plean ar bith.
Well, as the proverb says, if we had fair weather until November, someone would be disgruntled, and you cannot please everyone with any plan.

Mar sin is dóigh liom gur próiseas casta fadtéarmach é.
Therefore, I think it is a long and complicated process.

Alt 5

Is é mo thuairim go bhfuil fadhb mhór againn sa tír seo maidir le hathchúrsáil. Níl áiseanna athchúrsála cearta againn. Tá réiteach na ceiste seo chomh sleamhain le heireaball eascainne. Tógaimis cás amháin, an loisceoir, mar shampla. Dónn an loisceoir dramhaíl/bruscar ag teocht an-ard. Táirgeann sé ceimiceáin bhaolacha ar a dtugtar dé-ocsainí. Is iad is cúis le hailse i ndaoine. Buaileann spadhar mé nuair a smaoiním ar a leithéid. An bhfuil réiteach na faidhbe le fáil in aon chor? Bhuel, mar a deir an seanfhocal, dá mbeadh soineann go Samhain bheadh breall ar dhuine éigin agus ní féidir gach duine a shásamh le plean ar bith.

Mar sin is dóigh liom gur scéal casta fadtéarmach é.

Alt 6

Ráiteas

Tá gnáthdhaoine ag tacú go láidir le hathchúrsáil ach níl sé eagraithe i gceart go fóill.
The ordinary person would like to recycle, (support strongly) but we have yet to organise it properly.

Gaeilge

Mise i mbannaí duit gur náire shaolta é.
I am certain that this is a disgrace.

Sampla

Cuirtear an dramhaíl/bruscar amach gach seachtain don leoraí bruscair. Breathnaigh air! Bíonn sé lán le buidéil ghloine, cairtchlár agus fuíoll bia.
The bin is put outside every week for the bin collection. Look at it! It is full of glass bottles, cardboard and food scraps.

Mothúcháin

Ní haon ionadh go mbíonn na Glasaigh ag gearán.
It is no wonder that the Greens complain.

Seanfhocal

I dtús na haicíde is fusa í a leigheas.
Problems are best nipped in the bud.

Ceist

Conas is féidir fáil réidh leis (an dramhaíl)?
How can we dispose of it (waste)?

Freagra

Dá mbeadh plean fadtéarmach ag na húdaráis agus dá mbainfí an leas ab fhearr as na hacmhainní d'fhéadfaí an scéal a leigheas.
If the authorities had a long-term plan and if the resources are put to good use, the problem could be solved.

Alt 6

Tá na gnáthdhaoine ag tacú go láidir le hathchúrsáil ach níl sé eagraithe i gceart go fóill. Mise i mbannaí duit gur náire shaolta é. Cuirtear an dramhaíl/bruscar amach gach seachtain don leoraí bruscair. Breathnaigh air! Bíonn sé lán le buidéil ghloine, cairtchlár agus fuíoll bia. Ní haon ionadh go mbíonn na Glasaigh ag gearán. Conas is féidir fáil réidh leis? I dtús na haicíde is fusa í a leigheas. Dá mbeadh plean fadtéarmach ag na húdaráis agus dá mbainfí an leas ab fhearr as na hacmhainní d'fhéadfaí an scéal a leigheas.

Aiste 2

Sceimhlitheoireacht

Terrorism

Use the same plan for your next essay. All you really need to change are the 'ráiteas' and the 'sampla' elements to make an entirely new essay.

Plean (ráiteas agus sampla)

Alt 1

Ráiteas

Feictear domsa gur fadhb mhór é/í ar fud an domhain.
It seems to me that this is a major problem all over the world.

Tarlaíonn sé chuile áit.
It happens everywhere.

Sampla

Tá an fhadhb seo le feiceáil i ngach mór-roinn ar domhan. Tá cogaí in aghaidh na sceimhlitheoireachta á dtroid san Iaráic agus san Afganastáin.
In every continent in the world this problem can be seen. Wars of terror are being fought in Iraq and Afghanistan.

Alt 2

Ráiteas

Is léir domsa go dtarlaíonn ionsaithe chuile lá ar shaighdiúirí san Iaráic.
It seems to me that attacks on soldiers take place every day in Iraq.

Sampla

Go minic ionsaíonn Al Quaida saighdiúirí ar an mbóthar. Maraítear agus gortaítear daoine.
Often Al Quaida attack soldiers on the road. People are killed and injured.

Déantar an-dochar agus fulaingíonn an chosmhuintir ach go háirithe dá thoradh.
Much harm is being done and the ordinary people in particular suffer as a result.

Alt 3

Ráiteas

Is dóigh liom nach bhfuil fadhbanna an tuaiscirt leigheasta ach an oiread.
It seems to me that the problems in the North have not been solved either.

Níl ceachtar den dá thaobh go hiomlán ciúin.
Neither side is entirely quiet.

Sampla

Goideadh na milliúin punt anuraidh ó bhanc.
Millions were stolen last year from a bank.

Maraíodh fear an lá cheana ag na Dílseoirí/Poblachtánaigh.
A man was killed recently by the Loyalists/Republicans.

Alt 4

Ráiteas

Feictear dom go bhfuil an meán-oirthear ina phraiseach.
It seems to me that the Middle East is in a mess.

Tarlaíonn ionsaithe sceimhlitheoireachta in Iosrael, sa Liobáin agus san Éigipt go rialta.
Terrorist attacks can be seen in Israel, Lebanon and in Egypt regularly.

Sampla

Tá na Palaistínigh agus na hIosraelaigh ag marú a chéile bliain i ndiaidh bliana.
Palestinians and Israelis kill each other year after year.

Alt 5

Ráiteas

Is é mo thuairim nach n-imíonn lá thart nach maraítear daoine de bharr cúrsaí cogaidh áit éigin ar domhan.
It is my opinion that a day does not go by without deaths somewhere in the world from war.

Sampla

Tógaimis an tSúdáin mar shampla.
Take Sudan for example.

Tá daoine neamhurchóideacha á marú chuile lá anois ag an dá thaobh sa chogadh.
Innocent people are killed every day now by both sides.

Tá cogaí ar siúl san Afganastáin agus i gcodanna eile den Áise freisin.
Wars are ongoing in Afghanistan and in other parts of Asia also.

Alt 6

Ráiteas

Tá gach tír idir bheag agus mhór faoi bhagairt na sceimhlitheoireachta.
Terrorism threatens big countries and little countries alike.

Sampla

Tógaimis cás Mheiriceá agus na Spáinne le cúig bliana anuas. D'ionsaigh sceimhlitheoirí an dá thúr i Nua-Eabhrac agus na traenacha i Maidrid.
Take the example of America and Spain for the past five years. Terrorists attacked the Twin Towers in New York and the trains in Madrid.

Remember the checklist for your plan:

- Ráiteas
- Gaeilge
- Sampla
- Mothúcháin
- Seanfhocal
- Ceist
- Freagra

Alt 1 has been broken down into the various elements so that you can see the plan working.

Alt 1

Ráiteas: Feictear domsa gur fadhb mhór í ar fud an domhain. Tarlaíonn sé chuile áit. *It seems to me that the problem affects the whole world. It happens everywhere.*

Gaeilge: Ní beag a bhfuil ráite faoi. Tá an fhadhb chomh sean leis na cnoic. *Much has been said of this. The problem is as old as the hills.*

Sampla: I ngach mór-roinn ar domhan tá an fhadhb seo le feiceáil. *This problem can be seen in every continent of the world.* Tá cogaí in aghaidh na sceimhlitheoireachta á dtroid san Iaráic agus san Afganastáin. *Terrorist wars are being fought…*

Mothúcháin: Táimid dubh dóite de. *We are sick of it.*

Seanfhocal: Gan amhras, cad a dhéanfadh mac an chait ach luch a mharú. Ba chóir deireadh a chur le nósanna áirithe agus cleachtais nua a chur ina n-áit agus sa tslí sin fáil réidh le sceimhlitheoireacht/foréigean go deo. *As the saying goes, like father, like son. We must end certain practices and put new ones in place to put an end to violence/terrorism for good.*

Ceist: An bhfuil réiteach ar an bhforéigean? *Is there a solution to violence?*

Freagra: Bhuel, is léir do chách an baol atá ann. *The dangers are clear to everyone.* Mura ndéanfar iarracht an cás a réiteach, ní bheidh leigheas air choíche. *If no attempt is made to solve the problem, it will always exist.* Teastaíonn comhoibriú agus tuiscint chun é a leigheas. *Co-operation and understanding are needed.* Ní neart go cur le chéile. *No strength without unity.*

This is how the first paragraph would look:

Alt 1

Feictear domsa gur fadhb mhór í ar fud an domhain. Tarlaíonn sé chuile áit. Ní beag a bhfuil ráite faoi. Tá an fhadhb chomh sean leis na cnoic. I ngach mór-roinn sa domhan tá an fhadhb seo le feiceáil. Tá cogaí in aghaidh na sceimhlitheoireachta á dtroid san Iaráic agus san Afganastáin. Táimid dubh dóite de. Gan amhras, cad a dhéanfadh mac an chait ach luch a mharú. Ba chóir deireadh a chur le nósanna áirithe agus cleachtais nua a chur ina n-áit agus sa tslí sin fáil réidh le foréigean go deo. An bhfuil réiteach ar an bhforéigean? Bhuel, is léir do chách an baol atá ann. Mura ndéanfar iarracht an cás a réiteach, ní bheidh leigheas air choíche.Teastaíonn comhoibriú agus tuiscint chun é a leigheas. Ní neart go cur le chéile.

Alt 2

Is léir domsa go dtarlaíonn ionsaithe chuile lá ar shaighdiúirí san Iaráic. Ag dul in olcas atá cúrsaí. Tá an nós seo chomh coitianta leis an aer. Go minic ionsaíonn Al Quaida saighdiúirí ar an mbóthar. Maraítear agus gortaítear daoine. Déantar an-dochar agus dar ndóigh fulaingíonn an chosmhuintir ach go háirithe dá thoradh. Sin rud atá ag dó na geirbe agam. Deirtear gur i dtús na haicíde is fusa í a leigheas agus caithfear a rá gur galar uafásach sa tsochaí é. An bhfuil réiteach ar an bhfadhb? Deirtear gur fadhb so-réitithe í ach is dóigh liom gur próiseas casta fadtéarmach é.

Alt 2 been fully translated for you, to start you off. Use the glossary at the start of this section to find the translation for the rest of the paragraphs.

Attacks happen every day on soldiers in Iraq. It's getting worse. This is commonplace now. Often Al Quaida attack soldiers on the road. People are killed and injured. Much harm is being done, and the ordinary people are suffering as a result. This disgusts me. It is said that it is best to nip a problem in the bud, and this is certainly a scourge on society. Is there a solution? It is said that the problem could be solved but it is a long and complicated process.

Alt 3

Is dóigh liom nach bhfuil fabhanna an tuaiscirt leigheasta ach an oiread. Níl ceachtar den dá thaobh go hiomlán ciúin. Is náire shaolta é. Tá an dá thaobh chomh daingean le carraig. Maraíodh fear an lá cheana ag na Dílseoirí/Poblachtánaigh. Goideadh na milliúin punt anuraidh ó bhanc. B'fhearr liom sioc sa samhradh ná é. Go minic cloistear nach bhfuil sprid ná púca gan fios a chúise agus is léir go bhfuil cúiseanna ar leith leis an bhfadhb seo. Conas is féidir í a réiteach? Ní féidir an scéal a leigheas gan athrú intinne suntasach sa tír agus rún daingean ag an bpobal dul i ngleic leis an bhfadhb.

Alt 4

Feictear domsa go bhfuil an meán-oirthear ina phraiseach. Tarlaíonn ionsaithe sceimhlitheoireachta in Iosrael, sa Liobáin agus san Éigipt. Ag dul in olcas atá cúrsaí. Táim cinnte dearfa de. Tá na Palaistínigh agus na hIosraelaigh ag marú a chéile bliain i ndiaidh bliana. Tá nimh san fheoil acu dá chéile. An féidir teacht ar shocrú nua ann? Gan amhras níl maith sa seanchas nuair a bhíonn an anachain déanta. Tá an scéal ina phraiseach ach caithfear é a fheabhsú. Dá gcaithfí go leor airgid ar an gcás d'fhéadfaí é a leigheas.

Alt 5

Is é mo thuairim nach n-imíonn lá thart nach maraítear daoine de bharr cúrsaí cogaidh áit éigin ar domhan. Dar liomsa is náire shaolta é ach, tá réiteach na ceiste seo chomh sleamhain le heireaball eascainne. Tógaimis an tSúdáin mar shampla. Tá daoine neamhurchóideacha á marú chuile lá anois ag an dá thaobh sa chogadh. Tá cogaí ar siúl san Afganastáin agus i gcodanna eile den Áise freisin. Buaileann spadhar mé nuair a smaoiním ar a leithéid. Ar a scáth a chéile a mhaireann na daoine a deir an seanfhocal agus caithfear a rá gur fíor sin sa chás seo. Níl gar i gcaint, áfach. Caithfear an gníomh a chur leis an bhfocal. An féidir cúrsaí a athrú? Ní dóigh liom sa chás seo go bhfuil réiteach ann mar cé gur baineadh úsáid as taidhleoirí (diplomats) agus na Náisiúin Aontaithe, níl rún na ndaoine láidir go leor chun réiteach buan a aimsiú (to find a permanent solution).

Alt 6

Tá gach tír, idir bheag agus mhór, faoi bhagairt na sceimhlitheoireachta. Ní imní gan údar acu é. Tógaimis cás Mheiriceá agus na Spáinne le cúig bliana anuas. D'ionsaigh sceimhlitheoirí an dá thúr i Nua-Eabhrac agus na traenacha i Maidrid. Goilleann sé go mór orm a leithéid a fheiceáil. An bhfuil réiteach ann? Dar ndóigh, is maith an scéalaí an aimsir. Mura ndéanfar iarracht an cás a réiteach, ní bheidh leigheas ann choíche. D'fhéadfaí an leigheas a fháil in údarás na Náisiún Aontaithe.

This then is your completed essay on terrorism, but many of the points could also be used in an essay on war, peace, human suffering, stronger powers controlling weaker countries etc. All of the 'fillers' can of course be recycled also in any essay on any subject.

Aiste 3

Daoine óga (díospóireacht)

Young people

Some students ignore the debate because they feel it is too difficult or that they have no experience of debating. This is nonsense. An oration or a debate is exactly the same as an essay with the exception of a few minor additions which you need to make.

---

1. You need to address the audience at the start and end of the debate/oration. Like this:

A Chathaoirligh, a mholtóir, a lucht an fhreasúra agus a lucht éisteachta... *(Chairperson, adjudicator, members of the opposition, and those present...)*

Óráid made by a student:

A dhaoine uaisle, a mhúinteoirí agus a chomhscoláirí... *(Ladies and gentlemen, teachers, fellow students)*

Óráid made by Principal:

A dhaltaí scoile... *(students...)*

2. You need to be certain which side of the debate you are taking from the start and you need to make this clear to the examiner. Are you for or against the motion? It is always wiser and easier to speak for the motion, than against it. Choose one sentence from the list below to learn.

Aontaím go huile agus go hiomlán leis an rún seo.

I fully support this motion.

Beidh mé ag caint i bhfábhar an rúin seo.

I will speak in favour of the motion.

Beidh mé ag caint ar son an rúin seo.

I will be speaking in favour of this motion.

Ní aontaím leis an rún seo.

I do not agree with this motion.

Beidh mé ag caint i gcoinne an rúin seo.

I will be speaking against the motion.

If you choose to do the oration, you can speak [but you don't have to] on one or both sides of the argument.

3. You need to address the audience with a few phrases here and there throughout your speech. For example, something as simple as:

A dhaoine uaisle... here and there will turn your essay into a speech.

4. You can finish your debate like this:

A dhaoine uaisle, is léir daoibh go léir anois nach bhfuil bunús ar bith le hargóintí an fhreasúra...

[summarise the points you have made here; '*ráiteas*' sentences from each *Alt* and then finish off with...]

A Chathaoirligh, a mholtóir, a lucht an fhreasúra agus a lucht éisteachta, táim cinnte go n-aontaíonn sibh liom agus go bhfuil sibh go léir ar aon intinn liom ag deireadh na díospóireachta seo. Go raibh maith agaibh, a dhaoine uaisle.

The rest of your debate/oration will run exactly as an essay would.

You will need a few points of information and examples to illustrate them and your list of 'starters' and 'fillers' to fill out your paragraphs.

Díospóireacht

'Fadhbanna an aosa óig – is measa anois ná riamh iad' (2000)

The problems faced by young people today are worse than they ever were

Alt 1

Ráiteas

Conas is féidir a rá gur deas an rud í an óige?
How can we say that youth is a wonderful thing?

Tógaimis gach gné den saol agus is féidir a bheith cinnte go bhfuil cúrsaí níos measa ná riamh ag an aos óg.
We will examine every aspect of life and we can be sure that things are worse now than ever for young people.

Sampla

Sa díospóireacht seo pléifidh mé cúrsaí sláinte, na meáin chumarsáide agus dar ndóigh cúrsaí oideachais.
In this debate I will discuss health, the media and education.

Feictear domsa gurb é an t-am is measa i saol an duine.
It seems to me to be the worst time in a person's life.

Braitheann sé nó sí go huile is go hiomlán ar dhaoine fásta.
He/she depends entirely on adults.

Alt 2

Ráiteas

Is léir domsa gurb í an ghlúin seo an ghlúin is sláintiúla riamh, dar leis na fíricí.
It is clear to me that this is the healthiest generation ever according to statistics.

Sampla

Is í an ghlúin is mó atá i mbaol riamh ó thaobh drugaí de.
It is the generation most at risk from drugs.

Anois feictear an mangaire drugaí gach áit, faoin tuath agus sna cathracha.
Drug dealers can be seen everywhere, in the country and in the cities.

Caithfear a rá gur galar uafásach sa tsochaí é drugaí.
We must admit that drugs are a terrible scourge on society.

Alt 3

Ráiteas

Feictear domsa, áfach, dá olcas fadhb na ndrugaí, go bhfuil fadhb an alcóil i bhfad níos measa.
I think, however, that as dangerous as drugs are, the problem of alcohol is even worse.

Sampla

In Éirinn tá cultúr an óil fréamhaithe go domhain i meon na ndaoine.
In Ireland the culture of drink is deep-rooted.

Is minic a ionsaíonn fir óga a chéile tar éis oíche ólacháin.
Often young men attack each other after a night's drinking.

Scaoileann na tithe tábhairne móra na sluaite amach ar na sráideanna déanach san oíche le chéile.
Big pubs send streams of people out on the streets at the same time.

Is léir go bhfuil an milleán ar na tábhairneoirí faoin bhfadhb seo.
It is clear that publicans are to blame for this.

Alt 4

Ráiteas

Dar liomsa, cuireann na meáin chumarsáide brú millteanach orainn.
The media is a great pressure on us, it seems to me.

Sampla

Cuireann an fhógraíocht brú orainn ó thaobh cúrsaí airgid de. Caithfimid an scannán is deireanaí a fheiceáil anois.
Advertising puts a great financial strain on us. We must see the latest film.

Ní féidir an léine smolchaite a cheannaigh mé anuraidh a chaitheamh a thuilleadh.
I can't be seen in last year's shirt.

Ní beag a bhfuil ráite faoi ró-chaiteachas na linne seo.
Much has been said of the excessive spending of our times.

Alt 5

Ráiteas

Is é mo thuairim gur i gcúrsaí oideachais a mhothaíonn an déagóir an brú is mó.
In my opinion, it is in matters of education that the young person feels the most pressure.

Sampla

Más féidir leat cúpla céad leathanach a chur de ghlanmheabhair, éiríonn leat!
If you can learn a few hundred pages off by heart you will succeed!

Mothaímid an iomarca brú taobh istigh den scoil agus ansin an brú millteanach a bhaineann le córas na bpointí.
We feel great pressure in school, and then we have the pressure of the points system.

Ar chóir deireadh a chur le córas na bpointí?
Should the points system be abolished?

Alt 6

Ráiteas

Deirtear go mbíonn saol an mhadra bháin ag an aos óg ar na saolta seo ach is ansin atá an saol mór meallta.
It is said that young people live a charmed life, but here the world is mistaken.

Sampla

Is measa anois ná riamh iad fadhbanna an aosa óig.
The problems of youth are even worse now.

Is muid an ghlúin is mó atá i mbaol riamh ó thaobh drugaí de.
We are the generation most at risk with regard to drugs.

Tá cultúr an óil fréamhaithe go domhain i meon na ndaoine sa tír seo.
The drinking culture is very deep-rooted in Irish society.

Dar liomsa, cuireann na meáin chumarsáide brú millteanach láidir orainn.
In my opinion, the media exerts great pressure upon us.

Cinnte, bíonn an-bhrú ar dhaltaí Ardteistiméireachta.
Certainly, L.C. students are under pressure.

Remember the elements you need to try to include in each paragraph:

- Ráiteas
- Gaeilge
- Sampla
- Mothúcháin
- Seanfhocal
- Ceist
- Freagra

The **'Díospóireacht'** *elements are in* **bold type.**

Alt 1

A Chathaoirligh, a mholtóir, a lucht an fhreasúra agus a lucht éisteachta, aontaím go huile agus go hiomlán leis an rún seo, sé sin go bhfuil fadhbanna an aosa óig sa lá atá inniu ann i bhfad níos measa ná riamh. **A dhaoine uaisle,** conas is féidir a rá gur deas an rud í an óige. Tógaimis gach gné den saol agus is féidir a bheith cinnte go bhfuil cúrsaí níos measa ná riamh ag an aos óg. **Sa díospóireacht seo pléifidh mé** cúrsaí sláinte, na meáin chumarsáide agus ar ndóigh, cúrsaí oideachais. Feictear domsa gurb é seo an t-am is measa i saol an duine. Ní beag a bhfuil ráite faoi. Braitheann sé nó sí go huile is go hiomlán ar dhaoine fásta. Táimid dubh dóite de. Mar a deir an seanfhocal, mol an óige agus tiocfaidh sí agus gan amhras is fíor sin. Éireoidh go maith le daoine óga má mholtar iad ach ní moladh atá i ndán dóibh na laethanta seo ach baol. **A dhaoine uaisle,** ní mór dúinn a bheith ar an airdeall!

Alt 2

Is léir domsa gurb é glúin an lae inniu an ghlúin is sláintiúla riamh, dar leis na fíricí. De dhéanta na fírinne, ansin atáimid meallta. Is bocht an scéal é. Is í an ghlúin is mó atá i mbaol riamh ó thaobh drugaí de. Anois feictear an mangaire drugaí gach áit, faoin tuath agus sna cathracha. Sin rud atá ag dó na geirbe agam! **A dhaoine uaisle,** táim in umar na haimléise mar gheall orthu. Deirtear gur i dtús na haicíde is fusa í a leigheas agus caithfear a rá gur galar uafásach sa tsochaí é drugaí. Ní féidir ceann críonna a chur ar cholainn óg agus mise i mbannaí duit go bhfuilimid dall ar dhea-chomhairle, go háirithe an t-aos óg. An bhfuil réiteach ar an bhfadhb? Gan amhras tá, ach teastaíonn comhoibriú agus seasamh daingean chun dul i ngleic leis an bhfadhb.

Alt 3

Feictear domsa, **a dhaoine uaisle,** dá olcas é fadhb uafásach na ndrugaí, go bhfuil fadhb an alcóil i bhfad níos measa. Is náire shaolta é an scéal. In Éirinn tá cultúr an óil fréamhaithe go domhain i meon na ndaoine. Is minic a ionsaíonn fir óga a chéile tar éis oíche ólacháin. Ní beag a bhfuil ráite faoi. Scaoileann na tithe tábhairne móra na sluaite amach ar na sráideanna déanach san oíche le chéile. Táim in umar na haimléise mar gheall ar an bhfadhb seo. Go minic cloistear nach bhfuil sprid ná púca gan fios a chúise agus is léir go bhfuil cuid den locht ar na tábhairneoirí maidir leis an bhfadhb seo. Conas is féidir í a réiteach? Ní dóigh liom go dtarlóidh rud iontach ar bith sa chás seo mar leis na cianta cairbreacha ghlac muintir na tíre leis. An féidir é a athrú? **Bhuel, a lucht éisteachta,** ní féidir é a leigheas gan athrú intinne suntasach sa tír agus rún daingean dul i ngleic leis an bhfadhb.

Alt 4

Dar liomsa, cuireann na meáin chumarsáide brú millteanach láidir orainn. Táim cinnte dearfa de. Cuireann an fhógraíocht brú orainn ó thaobh cúrsaí airgid de. Caithfimid an scannán is deireanaí a fheiceáil anois. Ní féidir an léine smolchaite a cheannaigh mé anuraidh a chaitheamh a thuilleadh. Nach baoth an mhaise dúinn é! Ní bhíonn in aon rud ach seal agus ní beag a bhfuil ráite faoi ró-chaiteachas na linne seo. **A chomhscoláirí,** an féidir linn an brú millteanach seo a sheachaint? Dáiríre píre, teastaíonn seasamh daingean agus pearsantacht láidir chun dul i ngleic leis. Is bocht an scéal é.

Alt 5

Is é mo thuairim gur i gcúrsaí oideachais a mhothaíonn an déagóir an brú is mó. B'fhearr liom an sioc sa samhradh ná é. Más féidir leat cúpla céad leathanach a chur de ghlanmheabhair, éiríonn leat! Mothaímid an iomarca brú taobh istigh den scoil agus ansin an brú millteanach a bhaineann le córas na bpointí. Buaileann spadhar mé nuair a smaoiním ar a leithéid. An bhfuil rogha eile ann? Ar chóir deireadh a chur le córas na bpointí? Cinnte, dá mbeadh soineann go Samhain bheadh breall ar dhuine éigin agus nach féidir gach duine a shásamh le córas ar bith. **A dhaoine uaisle,** ní dóigh liom sa chás seo go mbeidh athrú ann mar ó thaobh costais agus ama de, bheadh sé dodhéanta. Cé gur maith an rud é, níl rún na ndaoine láidir go leor chun deireadh a chur leis.

Alt 6

A dhaoine uaisle, is léir daoibh go léir anois nach bhfuil bunús ar bith le hargóintí an fhreasúra. Deirtear go mbíonn saol an mhadra bháin ag an aos óg ar na saolta seo ach is ansin atá an saol mór meallta. Is measa anois ná riamh iad fadhbanna an aosa óig. **A chomhscoláirí,** is muid an ghlúin is mó atá i mbaol riamh ó thaobh drugaí de. Tá cultúr an óil fréamhaithe go domhain i meon na ndaoine sa tír seo. Cad a dhéanfadh mac an chait ach luch a mharú? Dáiríre píre ní ró-mhaith an sampla atá ar fáil againn ó dhaoine fásta. Níl aon dabht faoi ach go gcuireann na meáin chumarsáide brú millteanach orainn. Cinnte, bíonn an-bhrú ar dhaltaí Ardteistiméireachta. An bhfuil réiteach ar an bhfadhb? Bhuel, is maith an scéalaí an aimsir.

A Chathaoirligh, a mholtóir, a lucht an fhreasúra agus a lucht éisteachta, táim cinnte go n-aontaíonn sibh liom agus go bhfuil sibh go léir ar aon intinn liom maidir le fadhbanna an aosa óig ag deireadh na díospóireachta seo. Go raibh maith agaibh, a dhaoine uaisle.

This then is your completed debate/oration on the problems faced by young people, but many of the points could also be used in an essay on the education system, health issues for young people or in fact most topics relating to young people. Remember language is important but information is not. All of the 'fillers' can of course be recycled also in any essay on any subject.

At approximately 900 words, this is a very long essay when you would really only need about 600. It covers many aspects of an essential topic however, so you can reduce it down to suit your specific question. You could leave out two full paragraphs, for example, and still cover your question.

<u>Previous questions on the topic of young people:</u>

Nósanna agus tuairimí faiseanta – tá aos óg na linne seo ina sclábhaithe acu. (aiste, 2001)
Customs and ideas of fashion – the youth of today are slaves to them.

Ní fhaigheann daoine óga éisteacht ar bith sa tír seo. (díospóireacht, 2001)
Young people are not listened to in this country.

Is breá deas an rud í an óige. (alt, 2002)
Youth is a wonderful thing.

Saol an duine shingil – is é is fearr agus is taitneamhaí. (aiste, 2004)
The life of the single person – it's the best and the most enjoyable.

Aiste 4

An Ghaeilge

Future of the language

'A bhfuil i ndán don Ghaeilge sa chéad seo' (alt, 2002)

Plean (ráiteas agus sampla)

Alt 1

Ráiteas

Má leanann meath na Gaeilge ag an ráta céanna is a bhí le caoga bliain anuas, ní bheidh aon Ghaeltacht ann i gceann trí ghlúin eile.
If Irish continues to decline at the same rate as it has for the past 50 years, there will not be a Gaeltacht in three generations time.

Sampla

Tá tuairisc chruinn ar fáil anois ar staid na Gaeltachta, a pobail agus a córas oideachais.
An accurate report is now available on the state of the Gaeltacht, its communities and its education system.

Tá anailís déanta agus is cúis an-mhór imní an méid atá le rá ag an gCoimisiún.
Analysis has been carried out and the findings of the report are a grave cause for concern.

Alt 2

Ráiteas

Ba cheart teorainneacha na Gaeltachta a atarraingt sa chaoi nach mbeadh fágtha ach fíor-Ghaeltachtaí.
It seems to me that the boundaries of the Gaeltacht should be redrawn so that only true Gaeltacht areas remain within the boundaries.

Sampla

Fiú dá n-athrófaí teorainneacha na Gaeltachta bheadh líon suntasach Béarlóirí fós san 'fhíor-Ghaeltacht'.

Even if the boundaries were redrawn this would still leave a large number of English speakers in the 'true Gaeltacht'.

An bhfuil 'fíor-Ghaeltacht' le fáil in aon cheantar anois?
Is there a 'true Gaeltacht' anywhere?

Alt 3

Ráiteas

Ní féidir tús a chur le caomhnú phobal Gaeilge na Gaeltachta go dtí go dtiocfaidh polaiteoirí agus lucht rialtais ar an tuiscint gur fiú an Ghaeltacht a shábháil.
It seems to me that the Gaeltacht cannot be preserved unless politicians come to the conclusion that it is worth saving.

Sampla

Níl spéis acu ann. Tá scéal na Gaeilge ina phraiseach agus caithfear dul i ngleic leis an bhfadhb.
They are not interested. The language is in crisis and the situation must be tackled.

Alt 4

Ráiteas

An bhfuil fuascailt na faidhbe le fáil lasmuigh den Ghaeltacht?
Is the solution to the problem to be found outside the Gaeltacht?

B'fhéidir go bhfuil an Ghaeilge ag fáil bháis sa Ghaeltacht ach cinnte tá an teanga ag dul ó neart go neart sna cathracha.
Perhaps the language is dying out in the Gaeltacht, but it is certainly going from strength to strength in the cities.

Sampla

Tá an-tóir ar naíonraí anois.
Irish playschools are in great demand now.

Tá líon na scoileanna Gaeilge ag dul i méid.
The number of Irish speaking schools are increasing.

Bhunaigh tuismitheoirí iad.
Parents founded them.

Alt 5

Ráiteas

Taibhsítear domsa go dtuigeann muintir na Gaeltachta an dualgas atá orthu, an Ghaeilge a choinneáil do na glúnta atá romhainn.
It seems to me that the population of the Gaeltacht understand their duty to preserve the language for future generations.

Sampla

Bunaíodh TG4 Oíche Shamhna 1996 agus tá an-mheas ag daoine ar TG4 anois cé go raibh lucht an fhreasúra amhrasach faoi ón tús.
TG4 broadcast for the first time on Halloween 1996 and people now regard it highly, even though the opposition was doubtful about it from the beginning.

Dúradh tráth gurbh í an teilifís a scrios an Ghaeilge. Seans anois gur slánaitheoir na teanga a bheas inti.
It was once said that TV destroyed Irish. Chances are that it may yet be its saviour.

Remember the elements you need to try to include in each paragraph:

- Ráiteas
- Gaeilge
- Sampla
- Mothúcháin
- Seanfhocal
- Ceist
- Freagra

Completed essay

Alt 1

Feictear domsa má leanann meath na Gaeilge, ag an ráta céanna is a bhí le caoga bliain anuas, nach mbeidh aon Ghaeltacht ann i gceann trí ghlúin eile. Ní beag a bhfuil ráite faoi. Tá an fhadhb chomh sean leis na cnoic. Tá tuairisc chruinn ar fáil ar staid na Gaeltachta, a pobail agus a córais oideachas. Tá anailís déanta agus is cúis an-mhór imní an méid atá le rá ag an gCoimisiún. Táimid dubh dóite den mheath. Mar a deir an seanfhocal, i ndiaidh a chéile a thógtar na caisleáin agus gan amhras ní mhairfidh an Ghaeilge gan tacaíocht na ndaoine. An bhfuil réiteach ar an bhfadhb? Bhuel, ní neart go cur le chéile. Teastaíonn comhoibriú agus seasamh daingean chun í a chaomhnú.

Alt 2

Is léir domsa gur cheart teorainneacha na Gaeltachta a atarraingt sa chaoi nach mbeadh fágtha ach fíor-Ghaeltachtaí. Is dóigh liom gur scéal casta fadtéarmach é. Tá a lán ráite faoi. An bhfuil 'fíor-Ghaeltacht' le fáil in aon cheantar anois? Fiú dá n-athrófaí teorainneacha na Gaeltachta, bheadh líon suntasach Béarlóirí fós fágtha san 'fhíor-Ghaeltacht'. Mise i mbannaí duit go dtarlóidh sin. Deirtear gur i dtús na haicíde is fusa í a leigheas agus caithfear a rá gur galar uafásach sa Ghaeltacht é. An bhfuil fuascailt ar an bhfadhb? Gan amhras, teastaíonn comhoibriú agus tuiscint chun dul i ngleic leis an bhfadhb.

Alt 3

Dar liomsa, ní féidir tús a chur le caomhnú phobal Gaeilge na Gaeltachta go dtí go dtiocfaidh polaiteoirí agus lucht Rialtais ar an tuiscint gur fiú an Ghaeltacht a shábháil. Táim chomh cinnte is atá cros ar asal. Níl spéis acu ann. Mar a deir an seanfhocal, ní thig leis an ngobadán an dá thrá a fhreastal agus is fíor sin. Níl gar i gcaint. Caithfear an gníomh a chur leis an bhfocal. An bhfuil réiteach ar an bhfadhb? Tá scéal na Gaeilge ina phraiseach ach caithfear dul i ngleic leis an bhfadhb. Dá gcaithfí go leor airgid agus ama ar an gcás d'fhéadfaí é a leigheas agus staid na Gaeilge a neartú dá réir.

Alt 4

An bhfuil fuascailt na faidhbe le fáil lasmuigh den Ghaeltacht? B'fhéidir go bhfuil an Ghaeilge ag fáil bháis sa Ghaeltacht ach cinnte tá an teanga ag dul ó neart go neart sna cathracha. Is iomaí cúis atá leis sin. Tá an-tóir ar naíonraí anois. Tá líon na scoileanna Gaeilge ag dul i méid agus an ghluaiseacht ag dul i neart ó bhliain go bliain. Bhunaigh tuismitheoirí iad. Chuaigh sé rite leo é a dhéanamh uaireanta. An té is mó gníomh is é is lú buíochas a deir an seanfhocal agus is fíor sin ach tá na polaiteoirí lánsásta leo anois nuair atá an obair go léir déanta. An féidir teacht ar shocrú nua? Is dóigh liom sa chás seo go bhfuil réiteach ann má tá toil an rialtais láidir go leor chun an teanga a chaomhnú agus a neartú.

Alt 5

Taibhsítear domsa anois go dtuigeann muintir na Gaeltachta an dualgas atá orthu, an Ghaeilge a choinneáil do na glúnta atá le teacht. Buaileann spadhar mé nuair a smaoiním ar an gcaoi a bhfuil sí ag meath. Caithfear brú a chur ar an rialtas chun glacadh le polasaithe dearfacha i leith athbheochan na Gaeilge. Bunaíodh TG4 Oíche Shamhna 1996 agus tá an-mheas ag daoine ar TG4 anois, cé go raibh lucht an fhreasúra amhrasach ina taobh ón tús. Dúradh tráth gurbh í an teilifís a scrios an Ghaeilge. Seans anois gur slánaitheoir na teanga a bheas inti. Caitear an cairde agus ní mhaitear na fiacha. Caithfear an fhadhb a leigheas anois. Is fiú an t-am agus an t-airgead a infheistiú sa scéal. Dá mbeadh plean fadtéarmach ag an rialtas agus na húdaráis chuí i Roinn na Gaeltachta sásta é a chur i bhfeidhm bheadh fuascailt na faidhbe le fáil. Tá uair na cinniúna chugainn anois agus ní mór do na polaiteoirí rogha a dhéanamh.

This essay can also be used to deal with Irish in the media, future of the language and the Gaeltacht or as part of an essay on national identity.

Aiste 5-18 follow exactly the same plan as Aiste 1-4. By now you will have come across most of the vocabulary for the fillers. You can continue to refer back to the lists at the start of this book for translations of those you are not yet familiar with. A 'gluais' is provided at the end of each paragraph from now on for any additional vocabulary used.

Aiste 5

'Ní fáiltiúil an tír í seo níos mó' (aiste, 2002)

Ireland is no longer a welcoming country

Remember the elements you need to try to include in each paragraph:

- Ráiteas
- Gaeilge
- Sampla
- Mothúcháin
- Seanfhocal
- Ceist
- Freagra

Alt 1

Is dóigh liom nach bhfuil an céad míle fáilte le fáil sa tír seo a thuilleadh. Ní beag a bhfuil ráite faoi. Tá fadhb an chiníochais go dona in Éirinn. Ní fhaigheann turasóirí fáilte ó chroí sa tír seo a thuilleadh. Cuireann na praghsanna sna hóstlanna agus sna bialanna uafás orthu go léir. Tá bruscar le feiceáil i ngach áit. Tá lán mara eile san fharraige, dar leis an seanfhocal ach ansin atáimid meallta sa tír seo anois. Tá uisce na tíre salach lofa agus níl na lochanna ná an fharraige chomh hiascúil is a bhí tráth dá raibh. Buaileann spadhar mé nuair a smaoiním ar a leithéid. An bhfuil fuascailt na faidhbe le fáil? Tá an scéal ina phraiseach ach caithfear dul i ngleic leis an bhfadhb.

> **Gluais:** an céad míle fáilte – *the hundred thousand welcomes*, go dona – *dreadful*, fáilte ó chroí – *a heartfelt welcome*, sna hóstlanna – *pubs/hotels*, chomh hiascúil – *as full of fish*

Alt 2

Feictear domsa go bhfuil fadhb an chiníochais go dona in Éirinn. Is bocht an scéal é. Tarlaíonn sé chuile áit. I ngach mór-roinn ar domhan tá fadhb na dteifeach/ndídeanaithe le fáil, ach is fadhb nua sa tír seo í. Caithfear a rá gur galar uafásach sa tsochaí é ciníochas. Sin rud atá ag dó na geirbe agam. Ar scáth a chéile a mhaireann na daoine agus caithfear a rá gur fíor sin sa chás seo. An bhfuil fuascailt ar an bhfadhb? Teastaíonn tuiscint agus comhoibriú chun í a leigheas.

Gluais: na dteifeach/na ndídeanaithe – *of refugees*, ciníochais – *of racism*

Alt 3

Is léir domsa nach bhfaigheann turasóirí fáilte ó chroí sa tír seo a thuilleadh. Is é an feic saolta é. Tagann na turasóirí anseo ina dtáinte ar thóir na múrtha fáilte. Cuireann na praghsanna sna hóstlanna agus sna bialanna uafás orthu go léir. Céad míle fáilte? A mhalairt atá fíor. Daoine santacha atá chuile áit anois. Ní fiú a bheith ag cásamh an bhainne dhoirte áfach, mar a deir an seanfhocal. An féidir teacht ar shocrú nua? Is léir do chách an baol atá ann. Gan amhras, ba chóir deireadh a chur leis na droch-nósanna agus cleachtais nua a chur ina n-áit.

Gluais: ina dtáinte ar thóir na múrtha fáilte – *in their droves seeking the great welcome*, daoine santacha – *greedy people*

Alt 4

Taibhsítear domsa go bhfuil bruscar le feiceáil i ngach áit. Tarlaíonn sé chuile áit. Ag dul in olcas atá cúrsaí. Caitheann daoine bruscar gach áit agus is cuma sa riach leo. Is minic nach mbíonn bosca bruscair le fáil áit ar bith. Tá ré na malaí plaisteacha thart anois ach tá an bruscar fós ann. Tá an fhadhb seo chomh sean leis na cnoic. Mise i mbannaí duit gur náire shaolta é. Conas is féidir fáil réidh leis? Mar a deir an seanfhocal, i ndiaidh a chéile a thógtar na caisleáin agus gan amhras ní bheadh fuascailt na faidhbe le fáil gan tacaíocht na ndaoine agus athrú intinne suntasach sa tír.

Gluais: is cuma sa riach leo – *couldn't care less*, ré na malaí plaisteacha – *era of the plastic bags*

Alt 5

Is dóigh liom go bhfuil uisce na tíre salach lofa agus níl na lochanna nó an fharraige chomh hiascúil is a bhí tráth dá raibh. Ag dul in olcas atá sé. Is iomaí cúis atá leis. Maraítear na mílte iasc go rialta ag eisilteach ó mhonarchana. Truaillítear na lochanna ag ceimiceáin agus sadhlas ó fheirmeacha. Tarlaíonn timpiste i ndiaidh timpiste le hábhar fuíll. Táim cinnte dearfa de. Go minic cloistear nach bhfuil sprid ná púca gan fios a chúise agus is léir go bhfuil cúiseanna ar leith leis an bhfadhb seo. Conas is féidir í a réiteach? Is léir do chách an baol atá ann. Dá gcaithfí go leor airgid ar an gcás d'fhéadfaí é a leigheas.

> **Gluais:** eisilteach – *effluent*, sadhlas – *silage*, le hábhar fuíll – *with waste products*

Alt 6

Is é mo thuairim láidir nach fáiltiúil an tír í seo níos mó. Is iomaí cúis atá leis. Tá muintir na tíre ag éirí santach ar na saolta deireanacha seo. Tá an tír ar maos in airgead agus dearmad déanta ag muintir na tíre de chéad míle fáilte an tseansaoil. Ní mór dúinn a bheith ar an airdeall. Beidh an tír álainn seo againn scriosta le bruscar agus truailliú san am atá le teacht mura dtagann athrú intinne suntasach ar an bpobal. An bhfuil réiteach na faidhbe le fáil in aon chor? Níl gar i gcaint. Caithfear an gníomh a chur leis an bhfocal, áfach. Deirtear gur i dtús na haicíde is fusa í a leigheas agus caithfear a rá gur fíor sin sa chás seo. Mura ndéanfar iarracht an cás a réiteach, ní bheidh leigheas ar an scéal choíche.

> **Gluais:** ar maos in airgead – *rolling in money*

'Éire – tír álainn trína chéile' (aiste, 2002)
Ireland – a beautiful country torn apart

This is a short and simple enough essay which covers a lot of useful and reusable topics. Use this essay, or parts of it, to deal with topics such as tourism, wealth, greed, environmental issues and lack of civic pride/responsibility.

Aiste 6

Spórt le mallacht drugaí nó airgid

Sport cursed by drugs or money

Alt 1

Feictear domsa go bhfuil costas mór millteach ag baint le cúrsaí spóirt na laethanta seo. Ní beag a bhfuil ráite faoi. I ngach spórt ar domhan tá an fhadhb seo le feiceáil. Tuilleann réaltaí spóirt an t-uafás airgid. Duais mhór mhillteach ag dul leis an gcomórtas seo sa ghalf, conradh mór fógraíochta ag dul don bhuaiteoir i gcomórtas leadóige gan trácht ar na himreoirí sacair a thuilleann an t-uafás airgid Domhnach is dálach. Gan amhras ar bith, aon áit a mbíonn an t-airgead mór ní fada go leanann caimiléireacht agus drugaí é. Sin rud atá ag dó na geirbe agam. Dar ndóigh ní neart go cur le chéile. Cinnte, tá an chuma ar an scéal go gceapann iomaitheoirí nach bhfuil aon rogha acu ach drugaí a ghlacadh chun bheith san iomaíocht i ndáiríre. Ach an bhfuil rogha eile ann? Is léir do chách an baol atá ann. Gan amhras, ba chóir deireadh a chur leis na nósanna náireacha seo.

> **Gluais:** costas mór millteach – *terrible cost*, conradh mór fograíochta – *advertising contract*, gan trácht ar – *not to mention*, a thuilleann – *who earn*, caimiléireacht – *cheating*, san iomaíocht i ndáiríre – *really able to compete*

Alt 2

Tráth dá raibh bhíodh an bhéim ar rannpháirtíocht. Ba thábhachtaí é sin ná an bua a bheith ag duine i rás. Is mór idir inné agus inniu áfach. Is é mo thuairim láidir go mbíonn lucht tacaíochta agus bainistíochta ag lorg bua ar ais nó ar éigean anois. Níl siad sásta le coimhlint chothrom. Teastaíonn bua iomlán uathu. Goilleann sé go mór orm a leithéid a fheiceáil. Mar a deir an seanfhocal, is fearr an tsláinte ná na táinte, ach is deacair é a chreidiúint na laethanta seo. Is fearr na táinte agus is cuma sa sioc faoin tsláinte nó faoin rannpháirtíocht na laethanta seo. An bhfuil fuascailt na faidhbe le fáil ar chor ar bith! Ní féidir leigheas a fháil gan athrú intinne suntasach maidir le cúrsaí spóirt.

> **Gluais:** rannpháirtíocht – *participation*, an bua – *to win*, lorgaíonn – *they look for*, lucht tacaíochta – *supporters*, lucht bainistíochta – *managers*, coimhlint chothrom – *fair competition*

Alt 3

Ní féidir a shéanadh ach go mbíonn géarghá le hairgead mór i spórt ar bith inniu. Ag dul in olcas atá sé. Cosnaíonn pá imreoirí an t-uafás airgid. Bíonn imreoirí nua ag teastáil i gcónaí agus cosnaíonn na huaireanta traenála an t-uafás airgid chomh maith. Caithfidh siad na custaiméirí a shásamh. Cuireann sé seo brú breise ar imreoirí agus ar lúthchleasaithe agus dar ndóigh ar an lucht féachana de bharr costas na dticéad. Táim chomh cinnte is atá cros ar asal. Cinnte, níl sprid ná púca gan fios a chúise aige agus is léir go bhfuil cúis le gach rud. Tá imreoirí agus clubanna ag brath ar urraíocht ó chomhlachtaí móra. Mura mbuann siad, caillfidh siad an urraíocht. Uaireanta tógann na himreoirí drugaí mídhleathacha chun buachaint. An bhfuil réiteach ar an bhfadhb seo? Teastaíonn comhoibriú agus seasamh daingean chun dul i ngleic leis an bhfadhb.

> **Gluais:** a shásamh – *to satisfy*, ag brath ar urraíocht ó chomhlachtaí móra – *depending on sponsorship from big companies*, mídhleathacha – *illegal*, dul i ngleic – *to tackle*

Alt 4

Gan amhras, ardaíonn radharc na n-imreoirí ag imirt go tréan croíthe an lucht féachana idir óg agus aosta. Ní beag a bhfuil ráite faoi. Is mór is fiú an t-airgead seo a chaitheamh. Aigne shlán i gcorp follán a deir an seanfhocal agus ní féidir a shéanadh ach go ndéanann spórt agus aclaíocht maitheas do gach duine idir óg agus aosta. Is féidir aer úr a ghlacadh, d'intinn a bheith gníomhach agus mar bharr ar an scéal codladh sámh a bheith agat an oíche sin. Ach anois tá cúrsaí spóirt agus drugaí ceangailte go dlúth le chéile. Dáiríre píre ní ró-mhaith an sampla atá ar fáil ó lucht spóirt. Féachaimis ar rothaithe gairmiúla. Tógann siad drugaí sa *Tour de France* bliain i ndiaidh a chéile agus is cuma leo. Táimid dubh dóite de. An féidir an ceangal le drugaí a bhriseadh? Cé gur maith an rud é, níl rún na n-údarás i gcúrsaí spóirt láidir go leor chun cúrsaí a leigheas.

Gluais: radharc – *the sight of*, aclaíocht – *activity*, gníomhach – *active*, gairmiúla – *professional*, go dlúth – *closely*

Alt 5

Ní mór dúinn a bheith ar an airdeall! Tá réiteach na ceiste seo chomh sleamhain le heireaball eascainne. Tá cúrsaí spóirt agus drugaí fite fuaite ina chéile agus an dá cheann ceangailte le hairgead. Is é teachtaireacht na sochaí inniu ná gur tábhachtaí airgead ná spórt. Buaileann spadhar mé nuair a smaoiním ar a leithéid. Tráth dá raibh bhíodh an bhéim ar rannpháirtíocht seachas ar bhua. Drugaí, tuilleadh drugaí agus an t-airgead a bhíonn mar mhana acu inniu. An bhfuil réiteach na faidhbe le fáil in aon chor? Bhuel is maith an scéalaí an aimsir. Gan amhras, níl gar i gcaint. Caithfear an gníomh a chur leis an bhfocal. Tá uair na cinniúna chugainn anois agus ní mór dúinn go léir ár rogha féin a dhéanamh. Spórt nó drugaí?

Gluais: ceangailte le hairgead – *connected with money*, mana – *motto*

Use this essay to deal with any question on any aspect of sport. Chop and change it to make it suit your title.

Aiste 7

'Is é an t-airgead cúis agus máthair gach oilc' (óráid, 2002)

Money is the root of all evil

Alt 1

A dhaoine uaisle, a mhúinteoirí agus a chomhscoláirí, aontaím go huile agus go hiomlán leis an rún seo gurb é an t-airgead cúis agus máthair gach oilc. A dhaoine uaisle, cad atá le rá ag na seanfhocail? Is fearr an tsláinte ná na táinte. Is fearr cara sa chúirt ná punt sa sparán. Tógaimis gach gné den saol agus is féidir a bheith cinnte gurb é an t-airgead cúis agus máthair gach oilc sa tír seo. Sa díospóireacht seo pléifidh mé na fadhbanna a bhaineann le cúrsaí sláinte, fadhb an óil, cúrsaí tithíochta agus oideachas sa tír seo in ainneoin (despite) an Tíogair Cheiltigh. Tá na fadhbanna seo chomh sean leis na cnoic. Táimid dubh dóite de. An féidir an scéal a athrú? Gan amhras, a dhaoine uaisle, tá an scéal ina phraiseach ach caithfear é a leigheas.

Alt 2

Is léir dom go bhfuil an tír seo ar maos in airgead le deich mbliana anuas agus ní féidir a rá go bhfuil muintir na tíre aon phioc níos fearr as i ndáiríre. Ní beag a bhfuil ráite faoin staid éigeandála a thachtann ospidéil na tíre seo Domhnach is dálach. Cosmhuintir na tíre seo, seandaoine ach go háirithe, ag fanacht ar obráid bliain i ndiaidh a chéile. Tá an t-uafás airgid á chaitheamh ag an rialtas ar an gcóras sláinte. Tá an t-uafás airgid le caitheamh ag an rialtas ach fós tá daoine ag fanacht agus ag fulaingt. Goilleann sé go mór orm a leithéid a fheiceáil. Deirtear gur i dtús na haicíde is fusa í a leigheas agus caithfear a rá gur fíor sin sa chás seo. An bhfuil fuascailt na faidhbe le fáil? Mura ndéanfar iarracht an cás a réiteach, ní bheidh leigheas air choíche. A dhaoine uaisle, ní leor deora ó na polaiteoirí. Níl gar i gcaint. Caithfear an gníomh a chur leis an bhfocal.

Gluais: is léir – *it is clear*, ar maos in airgead – *rolling in money*, aon phioc – *not a bit*, staid éigeandála a thachtann – *state of emergency which chokes*, cosmhuintir na tíre – *ordinary people of the country*, ag fulaingt – *suffering*

Alt 3

Feictear domsa go bhfuil cultúr an óil fréamhaithe go domhain i meon na ndaoine sa tír seo, daoine óga ach go háirithe. Caithfear a rá gur galar uafásach sa tsochaí é drugaí chomh maith. Ag dul in olcas atá cúrsaí. Tá poist le fáil go héasca anois agus is féidir leo dul amach ceithre oíche in aghaidh na seachtaine ag ól agus lámh acu sna drugaí ó am go ham. Íocann siad as gach rud lena gcártaí creidmheasa. Cén dochar? Bhuel, is maith an scéalaí an aimsir, mar a deir an seanfhocal agus caithfear a rá gur fíor sin sa chás seo. Beidh an tsláinte scriosta acu agus iad go mór i bhfiacha amach anseo. Is léir gurb é an t-airgead is cúis leis an bhfadhb seo. Conas is féidir í a réiteach? Bhuel, a lucht éisteachta, ní féidir cúrsaí a fheabhsú gan athrú intinne suntasach sa tír agus rún daingean ag na húdaráis dul i ngleic leis an bhfadhb.

> **Gluais:** fréamhaithe go domhain i meon (na ndaoine) – *deep-rooted*, go mór i bhfiacha – *deep in debt* – rún daingean ag na húdaráis – *a firm commitment by the authorities*

Alt 4

Is léir domsa go bhfuil líon na ndaoine i bhfiacha sa tír seo ag méadú de shíor. Ag dul in olcas atá cúrsaí. Tá an tír féin ar maos in airgead agus téann muintir na tíre amach ag caitheamh airgid ar nós cuma leo, airgead nach bhfuil acu. Tá praghas na dtithe sa tír seo ag méadú de shíor freisin. Ní beag a bhfuil ráite faoi ró-chaiteachas na linne seo. Níl aon tinteán mar do thinteán féin agus is cinnte go mbeidh níos mó daoine óga ag fanacht ar an tinteán le Mamaí feasta más olc maith leo é. An féidir an scéal a athrú? Bhuel, is léir do chách an baol atá ann. Is léir gurb é an t-airgead is cúis leis an bhfadhb seo. Níor ardaigh praghas na dtithe nuair a bhí an tír ar an trá fholamh.

> **Gluais:** ag méadú de shíor – *continually increasing*, ar nós cuma leo – *carelessly*, más olc maith leo é – *like it or not*, ar an trá fholamh – *poverty stricken*

Alt 5

Taibhsítear domsa go bhfuil an tír ag dul chun rachmais bliain i ndiaidh a chéile agus go bhfuil na seirbhísí do mhuintir na tíre ag dul chun donais ag an ráta céanna. Mise i mbannaí duit gur náire shaolta é. Tá an córas sláinte ina phraiseach agus ag dul in olcas. Níl an córas oideachais aon phioc níos fearr. Tá líon na bpáistí sna seomraí ranga ag méadú fós agus scoileanna ag titim as a chéile, in ainneoiṅ an airgid mhóir atá sa tír i láthair na huaire. Fágann daoine a dtithe a cheannaigh siad ar phraghas dochreidte ar maidin agus caitheann siad an mhaidin i dtranglam tráchta Domhnach is dálach. A dhaoine uaisle, an bhfuil réiteach ar na fadhbanna seo? Tá an rialtas ag caitheamh an-chuid airgid ar an gcás ach tá an tír fós ina phraiseach. Is ait an mac an saol, cinnte. Táim cinnte go n-aontaíonn sibh liom agus go bhfuil sibh go léir ar aon intinn liom gurb é an t-airgead cúis agus máthair gach oilc. Go raibh maith agaibh, a dhaoine uaisle.

Gluais: ag éirí níos saibhre – *getting wealthier*, ag dul chun donais – *getting worse*, i dtranglam tráchta – *in a traffic jam*

Use this essay to deal with topics such as greed, money, debt, problems faced by young people today or any aspect of the recent changes/boom taking place in the country.

Saibhreas agus sonas – ní hionann iad. (aiste, 2002)
Wealth does not equal happiness.

Easpa cothromaíochta i ndáileadh an rachmais. (aiste, 2003)
Inequality with regard to distribution of wealth.

Aiste 8

Ceannaireacht in easnamh sa tír seo (díospóireacht, 2002)

The lack of leadership in this country

This is a key essay/debate as it covers so many topics and is very adaptable.

Alt 1

A Chathaoirligh, a mholtóir, a lucht an fhreasúra agus a lucht éisteachta, aontaím go huile agus go hiomlán leis an rún seo go bhfuil ceannaireacht in easnamh in Éirinn sa mhílaois nua. A dhaoine uaisle, conas is féidir a rá go bhfuil ceannaireacht éifeachtach le fáil sa tír seo a thuilleadh? Tógaimis gach gné den saol agus is féidir a bheith cinnte go bhfuil cúrsaí níos measa ná riamh. Sa díospóireacht seo pléifidh mé cúrsaí sláinte, scéal na mionlach sa tír, easpa agus anró i measc an phobail idir óg is aosta agus, dar ndóigh, cúrsaí oideachais. Ag dul in olcas atá cúrsaí. Ní beag a bhfuil ráite faoi. Táimid dubh dóite de. Mar a deir an seanfhocal, is fearr an tsláinte ná na táinte agus gan amhras is fíor sin. A dhaoine uaisle, tá ceannairí na tíre seo ar thóir na dtáinte i gcónaí agus is cuma leo faoi chóras sláinte na tíre. A dhaoine uaisle, ní mór dúinn a bheith ar an airdeall!

> **Gluais:** éifeachtach – *effective*, easpa agus anró – *need and hardship*, ar thóir na dtáinte – *seeking wealth*

Alt 2 (aiste 7, alt 2)

A dhaoine uaisle, tá ceannaireacht éifeachtach sa chóras sláinte in easnamh. Is é an feic saolta é. Ní beag a bhfuil ráite faoin staid éigeandála a thachtann ospidéil na tíre seo Domhnach is dálach. Bíonn cosmhuintir na tíre seo, seandaoine ach go háirithe (*especially*), ag fanacht ar leapacha sna pasáistí (*corridors*) agus ag fanacht ar obráidí bliain i ndiaidh a chéile. Goilleann sé go mór orm a leithéid a fheiceáil. Deirtear gur i dtús na haicíde is fusa í a leigheas agus caithfear a rá gur fíor sin sa chás seo. An bhfuil fuascailt na faidhbe le fáil? Mura ndéanfar iarracht an cás a réiteach, ní bheidh leigheas air choíche. A dhaoine uaisle, ní leor deora ó na polaiteoirí. Níl gar i gcaint. Caithfear an gníomh a chur leis an bhfocal.

Alt 3

Is é mo thuairim láidir go bhfuil meas an phobail ar mhionlaigh ag dul i laghad lá i ndiaidh lae. Is bocht an scéal é. Sin rud atá ag dó na geirbe agam. Go minic ionsaítear daoine ó thíortha eile ar na sráideanna. Ní beag a bhfuil ráite faoi. Níl éinne sásta a bheith ina chónaí in aice leis an lucht siúil. Teipeann ar dhaoine óga ón lucht siúil freastal ar bhunscoil gan trácht ar mheánscoil nó ollscoil. Ní fhaigheann daoine a bhfuil máchail intinne nó coirp orthu an tacaíocht chuí sa tír seo cé go bhfuil státchiste na tíre lán. Ní fhaigheann mionlaigh a gceart sa chóras oideachais go fóill. Go minic cloistear nach bhfuil sprid ná púca gan fios a chúise agus is léir go bhfuil cúiseanna ar leith leis an bhfadhb seo. An bhfuil réiteach ar an bhfadhb? A dhaoine uaisle, teastaíonn tuiscint láidir agus ceannaireacht láidir sa tír seo chun an scéal a chur ina cheart.

> **Gluais:** ag dul i laghad – *decreasing*, ar mhionlaigh – *for minorities*, ionsaítear – *they are attacked*, a bhfuil máchail intinne nó coirp orthu – *mental or physical disability*, tacaíocht chuí – *suitable support*, státchiste na tíre lán – *coffers of the country are full*, ní fhaigheann… a gceart – *minorities aren't treated fairly*

Alt 4

Feictear domsa go bhfuil bochtaineacht coitianta i gceantair éagsúla na tíre fós. Ag dul in olcas atá cúrsaí. Tá seandaoine ag maireachtáil go beo bocht sna cathracha agus faoin tuath fós gan chairde gan tacaíocht. Tá tuismitheoirí ag tógáil páistí agus iad ar an trá fholamh. Ní dhearna an Tíogar Ceilteach puinn difríochta do dhaoine áirithe sa tsochaí i ndeireadh na dála. Is fíor-annamh a théann aon duine ó cheantar bocht ar an ollscoil. Buaileann spadhar mé nuair a smaoiním ar a leithéid. Mar a deir an seanfhocal, i ndiaidh a chéile a thógtar na caisleáin. Tá an fhadhb chomh sean leis na cnoic. Gan amhras, a dhaoine uaisle, dá mbeadh plean fadtéarmach ag na húdaráis, d'fhéadfaí an scéal a leigheas.

> **Gluais:** ag maireachtáil – *existing*, gan chairde gan tacaíocht – *without friends or support*, puinn difríochta – *the slightest difference*

Alt 5

Feictear domsa nach bhfuil meas ró-mhór ag an bpobal ar pholaiteoirí. Is iomaí cúis atá leis sin. Tá drochiompar i measc na bpolaiteoirí coitianta go maith. Go minic bíonn airgead i gceist, mar shampla sna binsí fiosrúcháin. Is bocht an scéal é go bhfeicimid an méid sin lochtanna ar pholaiteoirí na linne seo. Bíonn cuid acu cam, insíonn siad bréaga. Níl siad ábalta ceisteanna simplí a fhreagairt fiú. Mise i mbannaí duit gur náire shaolta é. Ní bhíonn saoi gan locht, mar a deir an seanfhocal agus is fíor go ndéanann gach duine botúin. Ach a dhaoine uaisle, an féidir cúrsaí a athrú? Teastaíonn macántacht agus ceannaireacht chun é a leigheas.

Gluais: meas – *respect*, coitianta go maith – *fairly common* – binsí fiosrúcháin – *tribunals*, lochtanna – *faults*, cam – *crooked*, bréaga – *lies*, macántacht – *honesty*

Alt 6

A dhaoine uaisle, is léir daoibh go léir anois nach bhfuil bunús ar bith le hargóintí an fhreasúra. Deirtear go mbíonn ceannaireacht éifeachtach le fáil sa tír seo ach is ansin atá an saol mór meallta. Sa díospóireacht seo phléigh mé cúrsaí sláinte, mionlaigh sa tír, bochtaineacht agus ar ndóigh cúrsaí oideachais. Ag dul in olcas atá cúrsaí. A dhaoine uaisle, an bhfuil réiteach ar an bhfadhb? Bhuel, is maith an scéalaí an aimsir. A Chathaoirligh, a mholtóir, a lucht an fhreasúra agus a lucht éisteachta, táim cinnte go n-aontaíonn sibh liom agus go bhfuil sibh go léir ar aon intinn liom ag deireadh na díospóireachta seo. Teastaíonn ceannaireacht láidir sa tír seo. Go raibh maith agaibh, a dhaoine uaisle.

You could use this debate as an essay to deal with topics such as the government, lack of good government, failure of politicians, lack of equality in sharing out the wealth of the country, threats and problems of modern life, poverty and hardship...

Aiste 9

An bia inár saol (alt, 2004)

Food, poverty and the third world

Alt 1

Is deacair a chreidiúint go bhfuil daoine ag fáil bháis fós agus ag fulaingt go géar ón ocras sa mhílaois nua seo. Ag dul in olcas atá cúrsaí. Tá an fhadhb seo chomh sean leis na cnoic. Is dóigh liom go mbíonn tuairiscí uafásacha faoi pháistí óga agus máithreacha na bpáistí seo san Afraic ag fulaingt de bharr an ocrais, uair sa tseachtain ar a laghad anois. Goilleann sé go mór orm a leithéid a fheiceáil. Anseo, i dtalamh an bhia áfach, feictear tuairiscí faoi líon na ndaoine atá ag fáil bháis de bharr tinnis ó iomarca bia. Feictear tuairiscí ar an mbaol a bhaineann leis an mbia atá á ithe againn. Feictear tuairiscí ar bhia atá curtha amú toisc go bhfuil an iomarca ann. Is ait an mac an saol a deir an seanfhocal agus caithfear a rá gur fíor sin sa chás seo. An bhfuil leigheas ar an bhfadhb seo? Is dóigh liom gur scéal casta fadtéarmach é.

> **Gluais:** sa mhílaois nua – *in this new millennium*, tuairisíc – *reports*, i dtalamh an bhia – *in the land of plenty*, ó iomarca bia – *from too much food*, curtha amú – *wasted*, an iomarca – *too much*

Alt 2

Tá cúrsaí go dona ar fad san Afraic, gan trácht ar an Áise nó an India. Ag dul in olcas atá sé. Is minic a bhíonn cúiseanna eile le gorta seachas drochaimsir. I dteannta na bochtaineachta, is minic a bhíonn cogadh cathartha ar siúl sa tír freisin. Uaireanta bíonn an rialtas féin lofa. Sin rud atá ag dó na geirbe agam. Cad is féidir a dhéanamh mar sin?

Is buíoch le bocht beagán, a deir an seanfhocal. Caithfear brú a chur ar na rialtais is láidre ar domhan, glacadh le polasaithe dearfacha i leith na dtíortha bochta.

> **Gluais:** cúiseanna eile le gorta seachas drochaimsir – *other causes for famine besides bad weather*, cogadh cathartha – *civil war*, lofa – *corrupt*

Alt 3

Taibhsítear domsa go bhfuil fadhb eile sna tíortha bochta sin le tamall anuas. Tá tíortha na hAfraice scriosta anois ag an ngalar uafásach sin SEIF. Tá an fhadhb seo ag dul in olcas in aghaidh an lae. Tá na mílte dílleachtaí sna tíortha sin anois de bharr go bhfuair a dtuismitheoirí bás den ghalar úd. Is bocht an scéal é, gan amhras. An féidir an scéal a athrú? Go minic cloistear nach bhfuil sprid ná púca gan fios a chúise. Bhuel, is léir go bhfuil cúiseanna ar leith leis an bhfadhb seo. Tá sé de dhualgas ar na comhlachtaí drugaí ar fud an domhain cabhair a thabhairt dóibh anois. Is léir do chách an baol atá ann.

> **Gluais:** scriosta ag SEIF – *devastated by AIDS*, dílleachtaí – *orphans*, de dhualgas ar na comhlachtaí drugaí – *duty of the drugs companies*

Alt 4

Ba chóir go mbeadh náire orainn go léir i dtalamh an bhia. Tá páistí óga san Afraic ag fulaingt de bharr an ocrais agus muintir na tíre seo sa bhaile ag breathnú orthu agus an iomarca á alpadh againn. Mise i mbannaí duit gur náire shaolta é. Is léir domsa le déanaí go bhfuil méadú mór tar éis teacht ar líon na ndaoine atá ag fulaingt le diaibéiteas agus galar croí sa tír seo. Tá an iomarca á ithe againn go léir. Tá an iomarca bia mífholláin á ithe againn. Tá bia úr-nua ag teacht amach chuile lá anois, ach ansin atáimid meallta. Bia mífholláin atá i gceist seachas bia úr. Tá an bia sin lán le ceimiceáin agus geir, rudaí atá ina gcúis le tinnis mharfacha. An bhfuil fuascailt na faidhbe le fáil? Bhuel i dtús na haicíde is fusa í a leigheas. Mura ndéanfar iarracht an cás a réiteach, ní bheidh leigheas choíche air.

> **Gluais:** á alpadh – *eating greedily*, galar croí – *heart disease*, bia mífholláin – *unhealthy food*, úr-nua – *brand new*, úr – *fresh*, geir – *fat*, tinnis mharfacha – *fatal illnesses*

Alt 5

Is dóigh liom nach féidir a bheith ró-thanaí sa lá atá inniu ann. Ní mór dúinn a bheith ar an airdeall. Feictear aisteoirí an-tanaí sna hirisí uilig agus iad ag dul go dtí na cóisirí éagsúla i Hollywood. Is annamh a bhíonn pictiúr ann d'aisteoir a bhfuil meáchan sa bhreis inti, nó gnáthmheáchan fiú. Nuair a bhíonn a leithéid ann, leanann an giota ar aghaidh le tuairisc ar an aiste bia ar a bhfuil sí faoi láthair. Nach baoth an mhaise dúinn é!

Leath den domhan ag fáil bháis den ocras agus an chuid eile ar aiste bia! An bhfuil rogha eile ann? Is maith an scéalaí an aimsir, mar a deir an seanfhocal. Gan amhras, ba chóir deireadh a chur le drochnósanna agus dea-nósanna a chur ina n-áit.

> **Gluais:** nach féidir a bheith ró-thanaí – *cannot be too thin*, uilig – *all of them*, meáchan sa bhreis – *excess weight*, gnáthmheáchan – *ordinary weight*, aiste bia – *diet*, dea-nósanna – *good worthwhile habits*

Alt 6

Bia, bia agus tuilleadh bia. Is dóigh liomsa go bhfuil an iomarca á ithe againn anseo agus táimid in adhastar an anró mar gheall air. Tá muintir na tíre is boichte ar domhan in umar na haimiléise mar gheall ar an mbia freisin. Níl a ndóthain acu. Is bocht an scéal é. Ní leor deora áfach. Níl gar i gcaint. Caithfear an gníomh a chur leis an bhfocal. Is dóigh liom nach féidir linn féin ach cabhair bheag a thabhairt. Cad is féidir a dhéanamh i ndáiríre? Is maith an t-anlann an t-ocras áfach. Dá mbeadh plean fadtéarmach ag na húdaráis chuí ar domhan agus dá gcaithfí go leor airgid ar an gcás, d'fhéadfaí an scéal a leigheas.

> **Gluais:** níl a ndóthain acu – *they haven't enough*, cabhair bheag – *small amount of help*, an scéal a chur ina cheart – *to rectify matters*

Use this essay, or parts of it at least, to deal with famine, inequality in the world, the Third world, safety issues surrounding food and its production and the influence of the media in the west on our eating habits.

Aiste 10

Tionchar na meán cumarsáide ar dhaoine óga sa lá atá inniu ann

Influence of the media on young people

Alt 1

Creidim féin go mbíonn tionchar nach beag ag na meáin chumarsáide ar dhaoine óga sa lá atá inniu ann. Ní beag a bhfuil ráite faoi. Is é mo thuairim go mbíonn brú millteanach ar an dream óg sa lá atá inniu ann. Brú millteanach a thagann ó gach uile thaobh de na meáin chumarsáide; ó na nuachtáin, ó na hirisí, ón teilifís, ón idirlíon agus ó thionscal an cheoil. Is léir do chách an baol atá ann. Ní féidir ceann críonna a chur ar cholainn óg agus caithfear a rá gur fíor sin sa chás seo. Gan amhras is deacair dóibh a rogha féin a dhéanamh leis an mbrú millteanach a thagann ó na meáin chumarsáide de shíor. Dáiríre píre ní ró-mhaith an sampla atá ar fáil acu ó dhaoine fásta sna meáin chumarsáide chomh maith. An bhfuil réiteach ar an bhfadhb seo? Is dóigh liom gur scéal casta fadtéarmach é.

> **Gluais:** brú millteanach ar an óige féin – *pressure on youth itself*, idirlíon – *internet*, thionscal an cheoil – *music industry*, rogha – *choice*, de shíor – *constantly*

Alt 2 (aiste 9, alt 5)

Feictear domsa go mbíonn tionchar nach beag ag nuachtáin agus irisí ar dhaoine óga, cailíní óga ach go háirithe. Mise i mbannaí duit gur náire shaolta é. Tóg cúrsaí faisin mar shampla agus na hirisí uilig atá ar fáil dóibh. Is dóigh liom nach féidir a bheith ró-thanaí sa lá atá inniu ann. Feictear aisteoirí an-tanaí sna hirisí uilig agus iad ag dul go dtí na cóisirí éagsúla i Hollywood. Níl dabht ar bith agamsa ach go gcuireann na pictiúir sin isteach ar chailíní óga. Táimid dubh dóite de. Mar a deir an seanfhocal, in ithe na putóige a bhíonn a tástáil agus is léir nach bhfuil na haisteoirí sin ag ithe rud ar bith! An bhfuil rogha eile ann? Gan amhras, ba chóir deireadh a chur le drochnósanna. Ní mór dúinn a bheith ar an airdeall.

Alt 3

Taibhsítear domsa go dtagann brú millteanach ó na fógraí le haghaidh alcóil atá i ngach áit anois. Ag dul in olcas atá an scéal. Tá na fógraí sin le feiceáil ar an teilifís, ag na hócáidí móra spóirt agus ar chláir fhógraíochta ar shráideanna na gcathracha agus ag stadanna an bhus fiú. Meallann fógraí greannmhara le haghaidh alcóil an t-aos óg i dtreo an ólacháin. Táim chomh cinnte is atá cros ar asal. An bhfuil fuascailt na faidhbe le fáil in aon chor? Gan amhras, cad a dhéanfadh mac an chait ach luch a mharú? Dáiríre píre ní ró-mhaith an sampla atá ar fáil acu ó dhaoine fásta. Ní dóigh liom go dtarlóidh rud iontach ar bith ann mar leis na cianta cairbreacha ghlac muintir na tíre leis an ólachán.

> **Gluais:** ar chláir fhógraíochta – *on billboards*, meallann… i dtreo an ólacháin – *amusing ads for alcohol entice the young to drink*

Alt 4

Is dóigh liom go mbíonn tionchar nach beag ag cláir theilifíse, scannáin agus cluichí atá ag plé le foréigean ar dhaoine óga, fir óga ach go háirithe. Ní mór dúinn a bheith ar an airdeall. Spreagann na heachtraí agus na híomhánna foréigneacha fonn troda i bhfir óga go háirithe nuair a bhíonn alcól agus drugaí ar bord acu chomh maith. Goilleann sé go mór orm a leithéid a fheiceáil. An bhfuil réiteach na faidhbe le fáil? Deirtear gur i dtús na haicíde is fusa í a leigheas agus caithfear a rá gur fíor sin sa chás seo. Mura ndéanfar iarracht an cás a réiteach, ní bheidh leigheas air choíche.

> **Gluais:** ag plé le foréigean – *which are violent*, spreagann… chomh maith – *the action and the violent imagery incites young men to fight, especially when drink or drugs are involved*

Alt 5

Is mó go mór a bhfuil de bhuntáistí ná de mhíbhuntáistí ag baint leis an Idirlíon agus an nua-theicneolaíocht go léir. Ní féidir linn an nuatheicneolaíocht a sheachaint anois ar scoil, ag obair agus fiú sa bhaile. Rud eile, tá sí ag síorathrú. Baineann buntáistí móra léi. Ach baineann míbhuntáistí léi chomh maith, áfach. Is féidir mí-úsáid a bhaint as an Idirlíon agus bíonn daoine áirithe ag faire na faille chun teacht i dtír ar dhaoine eile. Níl aon seachtain nach dtagann scéal nua chun solais faoina leithéid ar an idirlíon; daoine fásta agus drochiompar ar a n-intinn agus iad i dteagmháil le daoine óga, eolas pearsanta á ghoid ag gadaithe agus daoine óga ag déanamh ansmacht/bulaíocht ar a chéile. Buaileann spadhar mé nuair a smaoiním ar a leithéid.

Creidim féin go mbíonn tionchar nach beag ag na meáin chumarsáide ar dhaoine óga sa lá atá inniu ann. Cad is féidir a dhéanamh i ndáiríre? Bhuel is maith an scéalaí an aimsir. Gan amhras is léir do chách an baol atá ann.

Gluais: Is mó go mór... atá inniu ann – *there are more advantages than disadvantages to the Internet and the new technology*, a sheachaint – *avoid it*, ag síorathrú – *constantly changing*, is féidir mí-úsáid... chun teacht i dtír ar dhaoine eile – *things can be abused and certain people watch for an opportunity to take advantage of others*, go dtagann scéal nua chun solais – *new stories unfold about such matters on the Internet*, daoine fásta... le daoine óga – *adults with evil intent making contact with young people*, eolas pearsanta... – *thieves steal personal information*, ag déanamh ansmacht – *bullying each other*

Use this essay to deal with young people and the effects of technology and the media on our lives.

Tionchar na léitheoireachta ar dhéagóirí. (díospóireacht/óráid, 2004)

The influence of reading on teenagers.

Cláir theilifíse a bhféachann daoine óga orthu – éifeacht, caighdeán agus cineál. (alt, 2002)

Young people's T.V. programmes.

Is mó go mór a bhfuil de bhuntáistí ná de mhíbhuntáistí ag baint leis an Idirlíon. (díospóireacht/óráid, 2003)

There are more advantages than disadvantages to the Internet.

Aiste 11

An tAontas Eorpach – cad atá i ndán dúinn?

The European Union

Alt 1

Thosaigh an ghluaiseacht seo i dtreo an Eoraip Aontaithe tar éis an Dara Cogadh Domhanda. Taibhsítear domsa go raibh tíortha na hEorpa ag iarraidh teacht le chéile go síochánta. Is iomaí cúis a bhí leis. Is ar mhaithe le saol eacnamaíochta na dtíortha éagsúla a thosaigh sé ar dtús. Leathnaigh an ghluaiseacht amach san hochtóidí agus anois tá i bhfad níos mó i gceist ná cúrsaí eacnamaíochta. Ní haon ionadh go mbíonn an freasúra ag gearán. Cén treo atá i ndán don Aontas amach anseo? Bhuel is maith an scéalaí an aimsir. An bhfuil rogha eile ann? Bhuel, ní neart go cur le chéile agus cinnte níl gar a shéanadh ach go bhfuil fás as cuimse tar éis tarlú sa tír seo le deich mbliana anuas.

Gluais: thosaigh… Domhanda – *movement began after WW2*, teacht le chéile go síochánta – *come together peacefully*, is ar mhaithe le – *began for the economic prosperity of the countries involved*, leathnaigh – *this widened out in the eighties and now it involves far more than economics*, cén treo atá i ndán – *what direction/future*, fás as cuimse – *unimagined growth*

Alt 2

Glacadh leis an tír seo mar bhall den Aontas Eorpach sa bhliain 1973. Naoi mballstát a bhí ann an uair sin. Tá an méid sin dúbailte anois agus tá a thuilleadh tíortha in oirthear na hEorpa ag iarraidh a bheith páirteach. Ní beag a bhfuil ráite faoi. Gluaiseacht eacnamaíochta agus shóisialta atá ann anois ach cad atá i ndán dúinn sa todhchaí i ndáiríre? An féidir le tír bheag mar sinne an tAontas a fheabhsú nó an mbeidh tionchar againn ar chor ar bith san Aontas nua atá le teacht? Dar ndóigh ní neart go cur le chéile a deir an seanfhocal agus gan amhras tá sé ró-dhéanach anois le héirí as. Dáiríre píre, teastaíonn comhoibriú agus tuiscint chun an tAontas a fheabhsú.

Gluais: naoi mballstát – *nine member states,* dúbailte – *doubled,* oirthear na hEorpa – *Eastern Europe,* i ndán dúinn sa todhchaí – *in store for us in the future,* beidh gá le… a fheabhsú – *co-operation and understanding will be needed to improve,* tionchar – *influence*

Alt 3

Is dóigh liom go bhfuil iascairí na tíre agus na feirmeoirí idir dhá chomhairle maidir leis an Aontas. Is mór an tacaíocht a fuair siad ón Aontas ach tá praghas le híoc as. Táim chomh cinnte is atá cros ar asal. Tá na mílte rialacha ag baint lena gcuid oibre anois. Fuaireamar deontas i ndiaidh deontais do na mótorbhealaí go léir ach caithfimid íoc astu anois agus cabhair a thabhairt do na tíortha bochta atá ag teacht isteach. Dá mbeadh soineann go Samhain bheadh breall ar dhuine éigin mar a deir an seanfhocal. Caithfear a rá gur fíor sin sa chás seo. Tá réiteach na ceiste seo chomh sleamhain le heireaball eascainne.

Gluais: idir dhá chomhairle – *undecided,* tacaíocht – *support,* praghas le híoc – *a price to be paid,* mílte rialacha – *many rules,* deontas – *grant,* caithfimid íoc astu – *we must pay for them*

Alt 4

Taibhsítear domsa go bhfuil muintir na tíre seo sásta leis an Aontas a bheag nó a mhór. Bheadh an freasúra ina choinne go deo. Ní imní gan údar acu é i ndáiríre. Tóg mar shampla an polasaí neodrachta atá sa tír seo le seachtó bliain anuas. An bhfuil neodracht na hÉireann i mbaol anois agus an tAontas Eorpach ag leathnú amach? Ní mór dúinn a bheith ar an airdeall mar is léir do chách an baol atá ann. Ní fiú a bheith ag cásamh an bhainne dhoirte áfach. Tá uair na cinniúna chugainn anois agus ní mór do na polaiteoirí éisteacht le muintir na tíre. Teastaíonn comhoibriú agus seasamh daingean chun an polasaí seo a chosaint.

Gluais: a bheag nó a mhór – *more or less,* an freasúra ina choinne go deo – *opponents will always be opposed,* an polasaí neodrachta – *policy of neutrality,* i mbaol – *in danger,* ag leathnú amach – *expanding,* a chosaint – *to defend*

Alt 5

Is dóigh liom go bhfuil borradh as cuimse tar éis tarlú sa tír seo le tuairim is deich mbliana anuas. Níl gar a shéanadh. Is léir go bhfuil cúiseanna ar leith leis an mborradh eacnamaíochta. Ar éirigh linn mar gheall ar an Aontas Eorpach nó ina ainneoin? Cén treo a rachaidh an tAontas amach anseo? Céard faoi neodracht na hÉireann? An mbeidh polasaithe dearfacha ag an rialtas nó an mbeidh an tír seo cosúil leis an ngobadán ag iarraidh an dá thrá a fhreastal go deo na ndeor? Sin iad na ceisteanna atá le plé againn. Ar scáth a chéile a mhaireann na daoine áfach, mar a deir an seanfhocal. Caithfear a rá gur fíor sin sa chás seo. Tá sé ró-dhéanach anois teacht ar intinn eile.

> **Gluais:** borradh as cuimse – *unprecedented growth*, ar éirigh linn… ina ainneoin – *did we prosper because of it (EU) or in spite of it*, teacht ar intinn eile – *to change our minds*

Parts of this essay could also be used to deal with racism, refugees and multiculturalism as well as our economic future.

Aiste 12

Neodracht na hÉireann agus cúrsaí idirnáisiúnta (óráid, 2002)

Neutrality

Alt 1 (aiste 11, alt 4)

A dhaoine uaisle, ghlac an tír seo le polasaí na neodrachta sna tríochaidí. Saorstát úr nua a bhí ionainn. Bhí an Chéad Chogadh Domhanda thart agus an Dara Cogadh Domhanda fós le teacht. Tá polasaí na neodrachta sa tír seo le seachtó bliain anuas anois. Taibhsítear domsa go bhfuil muintir na tíre seo sásta leis an bpolasaí sin a bheag nó a mhór. Dáiríre píre, níl arm láidir go leor againn le muid féin a chosaint ar ionsaí ó namhaid ar bith. A dhaoine uaisle, an bhfuil neodracht na hÉireann i mbaol anois? Ní mór dúinn a bheith ar an airdeall mar is léir do chách an baol atá ann. Ní fiú a bheith ag cásamh an bhainne dhoirte áfach. Tá uair na cinniúna chugainn anois agus ní mór do na polaiteoirí éisteacht le muintir na tíre. Beidh gá le tuiscint agus seasamh daingean chun an polasaí seo a chosaint.

> **Gluais:** ghlac… sna tríochaidí – *this country adopted the policy of neutrality in the 1930s*, Saorstát… – *we were a brand new Freestate at the time*, dáiríre píre… – *certainly our army is not strong enough to protect us from enemy attacks*

Alt 2 (aiste 11, alt 2)

Glacadh an tír seo isteach san Aontas Eorpach sa bhliain 1973. Naoi mballstát a bhí ann an uair sin. Tá an méid sin dúbailte anois agus an líon ag méadú i gcónaí leis na tíortha ó oirthear na hEorpa ag iarraidh a bheith páirteach. Ní beag a bhfuil ráite faoi. Gluaiseacht eacnamaíochta agus shóisialta atá ann anois ach cad atá i ndán dúinn sa todhchaí i ndáiríre? An bhfuil neodracht na hÉireann i mbaol anois agus an tAontas Eorpach ag leathnú amach? Dar ndóigh ní neart go cur le chéile a deir an seanfhocal agus gan amhras tá sé ró-dhéanach anois le héirí as. Dáiríre píre, teastaíonn comhoibriú agus tuiscint chun an polasaí a chaomhnú.

Alt 3

Tráth dá raibh, bhí tíortha na hEorpa i gceannas agus i réim agus ag déanamh cos ar bolg ar na tíortha eile ar domhan. Is mór idir inné agus inniu, áfach. Mheath cumhacht na hEorpa tar éis an Dara Cogadh Domhanda agus is iad na Meiriceánaigh atá i réim anois. Bhuel, a dhaoine uaisle, is iad na Meiriceánaigh agus na naimhde go léir atá acu ar fud na cruinne atá i gceannas ar chúrsaí idirnáisiúnta ar na saolta deireanacha seo. Táim chomh cinnte is atá cros ar asal. Cén dochar? Bhuel, ní théann dlí le riachtanas mar a deir an seanfhocal. Dáiríre píre, níl polasaithe idirnáisiúnta Mheiriceá gan locht. An féidir linn rud ar bith a dhéanamh mar thír bheag áfach? D'fhéadfaí an leigheas a fháil in údarás na Náisiún Aontaithe.

Gluais: tráth dá raibh… – *once upon a time, the countries of Europe were in power and indeed ruled the other countries of the world*, mheath… – *their power waned and after WW2, the Americans became the world power*, na naimhde… – *their enemies who control international affairs*, níl polasaithe… – *US foreign policy is not without its faults*, in údarás na Náisiún Aontaithe – *the authority of the UN*

Alt 4

A dhaoine uaisle, tá ceist na neodrachta ina cnámh spairne sa tír, go háirithe cá seasann muid ó thaobh NATO, fórsaí armtha an Chomhphobail Eorpaigh agus ar ndóigh, polasaithe idirnáisiúnta Mheiriceá. Is iomaí cúis atá leis. Tá gaol láidir idir Éirinn agus Meiriceá ó thaobh cúrsaí forbartha de le blianta anuas. Comhlachtaí Meiriceánacha atá lonnaithe in Éirinn a chuireann an chuid is mó den fhostaíocht ríomhaireachta ar fáil sa tír seo. An leor an méid sin féin lenár neodracht a chaitheamh i leataobh, áfach? Tá réiteach na ceiste seo chomh sleamhain le heireaball eascainne. A dhaoine uaisle, an féidir linn dallamullóg a chur orainn go léir agus neamhaird a thabhairt ar na heitleáin mhíleata ó Mheiriceá atá ag teacht is imeacht, Domhnach is dálach ó Aerphort na Sionainne? Mar a deir an seanfhocal, níl maith sa seanchas nuair a bhíonn an anachain déanta. Mura ndéanfar iarracht an cás a réiteach, ní bheidh leigheas choíche air.

Gluais: ina chnámh spairne – *a bone of contention*, fórsaí armtha – *an army of the EU*, gaol láidir forbartha – *a strong relationship has been forged*, is iad… sa tír seo – *it is the US based companies which provide the majority of jobs in computers in this country*, an leor an… – *is this enough to compromise our neutrality?*, dallamullóg… – *we cannot blind ourselves to the use the US military make of Shannon Airport day in, day out*

Alt 5

A dhaoine uaisle, is é mo thuairim láidir go bhfuil seasamh Eorpach agus domhanda againn, go háirithe sna Náisiúin Aontaithe. Is iomaí cúis atá leis. Tá ról fiúntach á chomhlíonadh againn le fada i gcothú na síochána ar fud an domhain agus meas orainn mar dhaoine atá cothrom agus nach dtaobhaíonn le dream amháin. Nach é seo an ról is oiriúnaí dúinne sa saol corrach atá amach romhainn? Nárbh fhiú dúinn seasamh siar ón míleatas agus an cúram síochána a ghlacadh orainn féin? Céard faoi neodracht na hÉireann? An mbeidh polasaithe dearfacha ag an rialtas nó an mbeidh an tír seo cosúil leis an ngobadán ag iarraidh an dá thrá a fhreastal go deo na ndeor? Sin iad na ceisteanna atá le plé againn. Is maith an scéalaí an aimsir, a dhaoine uaisle.

Gluais: seasamh Eorpach... – *we have a good European and international reputation in the UN,* tá ról fiúntach... – *we have a useful role to play in peacekeeping as an impartial country,* nach é seo... – *is this not the most suitable role for us in the troubled times ahead?* nárbh fhiú... – *would we not be better off standing back from militarisation and assuming instead our peaceful responsibility*

Use this essay, or parts of it, to deal with the bigger issues of peace, war, power and threats and of course the topic below.

An bhfuil polasaí na neodrachta i gcúrsaí idirnáisiúnta oiriúnach don tír seo? (óráid, 2000)

Is the policy of neutrality in international affairs appropriate for this country?

Aiste 13

'Níl ról ar bith ag arm na hÉireann i saol an lae inniu' (díospóireacht, 2004)

Role of the Irish Army

You could use the previous óráid to cover this debate also, with minor changes. The first and final paragraph have been reworked for you below. Paragraphs 2-4 could run exactly as in the previous óráid (aiste 12). 'Gluais' for Alt 1 and 5 are contained in Aiste 12 also.

Alt 1

A Chathaoirligh, a mholtóir, a lucht an fhreasúra agus a lucht éisteachta, ní aontaím leis an rún seo nach bhfuil ról ar bith ag Arm na hÉireann i saol an lae inniu. A dhaoine uaisle, conas is féidir a rá nach bhfuil ról acu sa saol corrach atá romhainn amach? A dhaoine uaisle, ghlac an tír seo le polasaí na neodrachta sna tríochaidí. Tá polasaí na neodrachta sa tír seo le seachtó bliain anuas anois. Dáiríre píre, níl arm láidir go leor againn le muid féin a chosaint ar ionsaí ó naimhde ar bith. Is beag éifeacht a bheadh ag ár gcabhlach ná ag ár n-aerfhórsa ach oiread dá mba rud é go n-ionsófaí muid. Ní hé sin an ról atá leagtha amach d'Arm na hÉireann, áfach. Táim chomh cinnte is atá cros ar asal. Ar a scáth a chéile a mhaireann na daoine, mar a deir an seanfhocal. Tá ról fiúntach á chomhlíonadh againn le fada i gcothú na síochána ar fud an domhain go háirithe sna Náisiúin Aontaithe.

> **Gluais:** is beag éifeacht… – *our navy or airforce would be ineffective if we were attacked*

Alt 5

A dhaoine uaisle, is léir daoibh go léir anois nach bhfuil bunús ar bith le hargóintí an fhreasúra. Is é mo thuairim láidir go bhfuil ról iontach tábhachtach ag Arm na hÉireann i saol an lae inniu. Is iomaí cúis atá leis. Tá ról fiúntach á chomhlíonadh againn le fada i gcothú na síochána ar fud an domhain agus meas orainn mar dhaoine atá cothrom agus nach dtaobhaíonn le dream amháin. Nach é seo an ról is oiriúnaí d'Arm na hÉireann sa saol corrach atá romhainn amach? Nárbh fhiú dúinn seasamh siar ó mhíleatas agus an cúram síochána a ghlacadh orainn féin? Sin iad na ceisteanna atá le plé againn. Bhuel, is maith an scéalaí an aimsir, a dhaoine uaisle. A Chathaoirligh, a mholtóir, a lucht an fhreasúra agus a lucht éisteachta, táim cinnte go n-aontaíonn sibh liom ag deireadh na díospóireachta seo. Go raibh maith agaibh, a dhaoine uaisle.

Aiste 14

Sábháilteacht ar na bóithre

Road safety

Alt 1

Is léir go dtarlaíonn timpistí ar na bóithre chuile lá anois, go háirithe ag an deireadh seachtaine. Feictear domsa gur fadhb mhór é ar fud an domhain. Tarlaíonn sé chuile áit. Ag dul in olcas atá sé. Scriostar teaghlaigh gach deireadh seachtaine sna timpistí marfacha sin agus mise i mbannaí duit gur náire shaolta é. Ní beag a bhfuil ráite faoi. An bhfuil réiteach na faidhbe le fáil in aon chor? Go minic cloistear nach bhfuil sprid ná púca gan fios a chúise agus is léir go bhfuil cúiseanna ar leith leis an bhfadhb seo. Mura ndéanfar iarracht an cás a réiteach, ní bheidh leigheas air choíche.

> **Gluais:** scriostar teaghlaigh… – *families are destroyed in these fatal accidents*

Alt 2

Is minic nach mbíonn ach feithicil amháin i gceist sna timpistí marfacha a tharlaíonn. Tarlaíonn a bhformhór mór go déanach san oíche. Tarlaíonn tuairim is seachtó faoin gcéad díobh idir a hocht a chlog san oíche agus a sé a chlog ar maidin. Is iomaí cúis atá leis na timpistí sin. Is léir go mbíonn ólachán agus luas i gceist. Daoine óga a fhaigheann bás go mion minic. Tá an fhadhb seo chomh sean leis na cnoic. Ní féidir ceann críonna a chur ar cholainn óg agus bímid bodhar ar dhea-chomhairle, daoine óga ach go háirithe. An bhfuil réiteach ar an bhfadhb seo? Teastaíonn comhoibriú agus seasamh daingean chun í a réiteach.

> **Gluais:** feithicil amháin – *single vehicle*, a bhformhór mór – *vast majority*, seachtó faoin gcéad – *seventy per cent*, ólachán agus luas – *drink and speed*

Alt 3

Creidtear go forleathan go mbíonn dlúthcheangal idir caighdeán na mbóithre agus na timpistí marfacha a tharlaíonn Domhnach is dálach. De dhéanta na fírinne, ansin atáimid meallta. Is léir domsa ón tuarascáil is déanaí gur beag baint atá ag caighdeán na mbóithre agus caighdeán na gcarranna a bhíonn ar na bóithre leis na timpistí a tharlaíonn. Táim chomh cinnte is atá cros ar asal. Alcól, luas gan dealramh agus na tiománaithe féin is ciontaí sna timpistí marfacha ar bhóithre na tíre. Deirtear gur furasta fuinneadh in aice na mine agus caithfear a rá gur fíor sin sa chás seo. An féidir cúrsaí a athrú? Bhuel, dá gcaithfí go leor airgid ar an gcás, d'fhéadfaí é a leigheas ach an dlí a chur i bhfeidhm go daingean.

> **Gluais:** creidtear… – *it is widely believed that there is a connection between the condition of the roads and the accidents that happen*, is léir domsa… – *the latest report has revealed that there is little connection*, luas gan dealramh … – *ridiculous speed and the drivers are to blame*, an dlí… – *the law must be rigorously enforced*

Alt 4

Is dóigh liom go dtarlaíonn drochiompar ar bhóithre na tíre seo Domhnach is dálach. Ag dul in olcas atá cúrsaí. Feictear daoine óga ag tiomáint ar na mótarbhealaí agus L-phlátaí in airde acu. Feictear daoine ag tiomáint san oíche i gcarranna atá ar leathsholas nó gan solas ar bith. Feictear tiománaithe, fir óga ach go háirithe, ag sárú na dteorainneacha luais. Táimid dubh dóite de. Bhuel, is léir do chách an baol atá ann. Deirtear gur i dtús na haicíde is fusa í a leigheas agus caithfear a rá gur fíor sin sa chás seo. An bhfuil fuascailt na faidhbe le fáil. Gan amhras, ba chóir na drochnósanna agus an drochiompar a stopadh. Caithfear brú a chur ar na tiománaithe. Caithfear an dlí a chur i bhfeidhm gan mhoill.

> **Gluais:** drochiompar – *bad behaviour*, ar na mótarbhealaí… – *driving on motorways with L-plates*, ar leathsholas… – *with one or no lights at all*, ag sárú na dteorainneacha luais – *breaking the speed limits*

Alt 5

Is é mo thuairim go mbíonn tiománaithe ar bhóithre na tíre seo agus iad beag beann ar na dlíthe a bhaineann leo. Is é an feic saolta é. Tá córas na bpointí i bhfeidhm le tamall sa tír seo anois. B'fhéidir go dtiocfaidh feabhas ar an scéal go luath. Ní mór do na scabhaitéirí sin a bheith ar an airdeall! Gan amhras, b'fhéidir go dtiomáinfidh roinnt daoine níos maille ós rud é go bhfuil an baol ann go gcaillfidh siad a gceadúnas. An bhfuil rogha eile ann? Bhuel is maith an scéalaí an aimsir. Tá uair na cinniúna chugainn anois agus ní mór do na polaiteoirí a rogha a dhéanamh. Dáiríre píre, dá gcaithfí go leor airgid ar an gcás, agus tuilleadh gardaí a chur ar dualgas tráchta, d'fhéadfaí an scéal a leigheas.

Gluais: beag beann… – *oblivious to the laws of the road,* córas na bpointí… – *penalty points are in use for a while now,* feabhas… – *an improvement,* na scabhaitéirí – *the scoundrels,* níos maille… – *perhaps some will slow down with the threat of the loss of their licence,* ar dualgas tráchta – *on traffic duty*

You could use this essay, or parts of it at least, to deal with danger and threat in Ireland today (baol agus bagairt) or in an essay on young people.

Aiste 15

An bhagairt núicléach

The nuclear threat

Alt 1

A Chathaoirligh, a mholtóir, a lucht an fhreasúra agus a lucht éisteachta, aontaím go huile agus go hiomlán leis an rún seo go mbíonn an tír seo i mbaol i gcónaí ó bhagairt núicléach. A dhaoine uaisle, táim glan in aghaidh an tionscail núicléach agus is é mo thuairim láidir go bhfuil formhór mhuintir na tíre seo ar aon intinn liom. Silím go bhfuil an tionscal ró-bhaolach agus mar sin nach fiú airgead a chaitheamh air a thuilleadh.

Tá an baol ann i gcónaí sa tír seo go dtarlóidh tubaiste i Sellafield. Tarlaíonn timpiste i ndiaidh timpiste le hábhar núicléach. Táimid dubh dóite de. Mar a deir an seanfhocal, níl maith sa seanchas nuair a bhíonn an anachain déanta. Bhuel, ní neart go cur le chéile. Teastaíonn comhoibriú agus seasamh daingean chun é a chosc.

> **Gluais:** an bhagairt – *the threat*, tionscal núicléach – *the nuclear industry*, ró-bhaolach – *too dangerous*, le hábhar núicléach – *with nuclear material*

Alt 2 (aiste 1, alt 1)

Feictear domsa gur fadhb mhór í ar fud an domhain. Ní beag a bhfuil ráite faoi. I ngach mór-roinn ar domhan braitheann daoine faoi bhagairt ag an tionscal núicléach. Tharla tubaiste uafásach i Chernobyl fiche bliain ó shin agus tá an chosmhuintir ag fulaingt fós dá bharr. Fuair na mílte bás ag an am ach tá daoine ag fáil bháis anois de bharr ailse. Saolaítear páistí go minic san áit fós agus máchail orthu. Is é an feic saolta é. Is maith an scéalaí an aimsir, a deir an seanfhocal ach beidh muintir na hÚcráine ag fulaingt go deo na ndeor. An féidir cúrsaí a athrú? Bhuel, ní dóigh liom gur féidir sa chás seo. Tá tailte na hÚcráine agus na tíortha máguaird truaillithe go deo na ndeor. A dhaoine uaisle, sin an bhagairt núicléach. Tarlaíonn timpistí agus níl aon dul as.

> **Gluais:** ag fulaingt – *suffering*, saolaítear páistí – *children are born all the time with disorders because of it*, tá tailte… – *the land of the Ukraine and surrounding areas are polluted for eternity*, tarlaíonn timpistí… – *accidents happen and that's that*

Alt 3

Taibhsítear domsa nach bhfuil Rialtas na Breataine ar aon intinn liom áfach. Is iomaí cúis atá leis. Cúiseanna míleata, eacnamúla agus polaitiúla atá acu. Thosaigh an tionscal núicléach sa Bhreatain sna caogaidí agus chosain príomh-airí na Breataine an tionscal sin ó shin i leith ar chúis amháin nó ar chúis eile. Sin rud atá ag dó na geirbe agam. D'fhéadfadh pléasc tarlú sa stáisiún i Sellafield freisin agus muintir na hÉireann a bheadh ag fulaingt ansin. Ba chuma, a dhaoine uaisle, cé acu a bheadh ann – pléasc trí thimpiste nó ionsaí sceimhlitheoireachta. An bhfuil réiteach na faidhbe le fáil in aon chor? Bhuel ní thig leis an ngobadán an dá thrá a fhreastal agus is fíor sin. Teastaíonn seasamh daingean in aghaidh pholasaí na Breataine chun é a chosc.

> **Gluais:** cúiseanna míleata – *military reasons*, rialtas… – *British Government would not agree*, chosain… – *British PMs protect this industry no matter what*, d'fhéadfadh… – *an explosion could happen*, pléasc… – *through an accident or from a terrorist act*

Alt 4

Is léir domsa go bhfuil breosla na cruinne ag dul i laghad de shíor. Ní beag a bhfuil ráite faoi. Tá ola agus gás ag éirí fíorghann ar fud na cruinne anois agus beidh siad ídithe go hiomlán go luath dar leis na saineolaithe. Ní haon ionadh go mbíonn na Glasaigh ag gearán. Tá breosla nua le fáil anois ach an bhfuil sé sásúil? Deir rialtas na Breataine go bhfuil fuascailt na faidhbe le fáil sa tionscal núicléach. Bhuel, tá lán mara eile san fharraige. A dhaoine uaisle, caithfidh go bhfuil rogha eile ann. Céard faoin ngaoth? Céard faoin fharraige? Tá achmhainní nádúrtha ann ach caithfear triail a bhaint astu. Mar sin is dóigh liomsa, a dhaoine uaisle, gur scéal casta fadtéarmach é agus ní inniu nó amárach a bheidh an scéal leigheasta.

> **Gluais:** breosla… – *earth's fuels are diminishing*, tá ola… – *oil and gas are becoming scarce and will be entirely used up soon according to experts*, breosla nua – *new fuels*, acmhainní nádúrtha… – *there are natural resources but they must be explored*

Alt 5

A dhaoine uaisle, is é mo thuairim láidir go gcaithfear brú a chur an rialtas chun glacadh le polasaithe dearfacha anois i leith Sellafield agus an bhagairt a thagann dá réir. Tá an fhadhb seo chomh sean leis na cnoic agus fuascailt na faidhbe fós le fáil. Tá na Glasaigh in umar na haimléise mar gheall ar an bhfadhb seo. Ní imní gan údar acu é. Ní fiú a bheith ag cur bolta ar an doras agus an capall imithe. Tarlaíonn timpistí agus níl aon dul as. Tá breosla na cruinne beagnach caite anois agus tá gá le foinse nua cumhachta. A dhaoine uaisle, níl réiteach na faidhbe le fáil sa tionscal núicléach. Is léir do chách an baol atá ann maidir le cumhacht núicléach. Níl gar i gcaint, áfach. Caithfear an gníomh a chur leis an bhfocal.

A Chathaoirligh, a mholtóir, a lucht an fhreasúra agus a lucht éisteachta, táim cinnte go n-aontaíonn sibh liom agus go bhfuil sibh go léir ar aon intinn liom. Go raibh maith agaibh, a dhaoine uaisle.

Gluais: an bhagairt... – *and the threat it poses*, breosla... – *the earth's fuels are almost spent*, foinse nua cumhachta – *a new source of power*

You could use this essay to deal with environmental issues for the past, present and future. You could also use it to deal with terrorism and threat and the problems which will have to be faced in the future when fossil fuels run out.

Aiste 16

Ní chreideann daoine i nDia a thuilleadh (2003)

Faith and religion today

Alt 1

Feictear domsa nach bhfuil meas ró-mhór ag an bpobal ar an eaglais sa tír seo a thuilleadh. De dhéanta na fírinne, feictear domsa nach bhfuil tuairim ar bith acu i dtaobh na heaglaise, cúrsaí creidimh nó Dia féin fiú sa tír seo ar na saolta deireanacha seo. Is cuma sa tsioc leo. Ní beag a bhfuil ráite faoi. Is iomaí cúis atá leis. Ní beag a bhfuil ráite faoin drochiompar i measc na cléire. Sin tuairim amháin. Tháinig an Tíogar Ceilteach agus theith Uan Dé. Sin tuairim eile. Níl sprid ná púca gan fios a chúise agus is léir go bhfuil cúiseanna ar leith leis an bhfadhb seo. An bhfuil reiteach ar an bhfadhb seo? Bhuel is léir go bhfuil an Eaglais Chaitliceach ina praiseach ach caithfear dul i ngleic leis an bhfadhb chun í a chosc.

> **Gluais:** meas… – *little respect for the church now*, feictear domsa… – *it seems they have no opinion regarding the church, faith or even God*, drochiompar… – *bad conduct amongst the clergy*, theith Uan Dé – *lamb of God fled*

Alt 2

Is léir domsa go bhfuil líon na bhfear atá ag iarraidh dul le sagartóireacht íslithe le blianta beaga anuas. Ag éirí air atá cúrsaí. Is léir go bhfuil sagairt óga fíorghann sa tír seo le blianta beaga anuas. Taibhsítear domsa go bhfuil tuairim is caoga faoin gcéad de shagairt na tíre seo os cionn seasca bliain d'aois. Táim chomh cinnte is atá cros ar asal. Níl suim dá laghad ag daoine óga i gcúrsaí creidimh sa lá atá inniu ann. Ar scáth a chéile a mhaireann na daoine, a deir an seanfhocal agus caithfear a rá gur fíor sin sa chás seo. An féidir an scéal a athrú? Tá mórathrú ag teastáil go géar san Eaglais. Ba cheart don Eaglais mná a oirniú mar shagairt gan mhoill agus deis a thabhairt do shagairt pósadh chomh maith.

> **Gluais:** líon… – *number of men entering the priesthood has diminished*, tá mórathrú… – *great change is needed in the church*, mná a oirniú… – *should ordain women and allow priests to marry*

Alt 3

Feictear domsa go bhfuil líon na ndaoine atá ag dul chuig Aifreann ar an Domhnach íslithe le blianta anuas chomh maith. Is bocht an scéal é agus dar ndóigh is iomaí cúis atá leis. Is léir domsa go sceitear rún nua beagnach gach coicís sna nuachtáin nó ar an teilifís faoin drochiompar i measc na cléire. Mise i mbannaí duit gur náire shaolta é. Goilleann sé go mór orm a leithéid a chloisteáil. Shamhlaigh siad go raibh cead raide acu. Go minic cloistear nach bhfuil sprid ná púca gan fios a chúise agus is léir go bhfuil cumhacht na heaglaise mar chúis leis an bhfadhb seo. Conas is féidir í a réiteach? Ní dóigh liom go dtarlóidh rud iontach ar bith ann mar go bhfuil an chumhacht fós acu.

> **Gluais:** líon na… – *mass attendance has declined*, rún – *secrets*, go raibh cead raide – *thought they were above the law*, an chumhacht fós acu – *still have too much power*

Alt 4

Is dóigh liom go dteastaíonn tuiscint níos fearr i measc na cléire ar chúrsaí an tsaoil. Tá an fhadhb seo chomh sean leis na cnoic. Is dóigh liom go bhfuil an fhadhb seo i mbéal an phobail le fada an lá. Níl taithí acu ar na deacrachtaí a bhíonn ag gnáthdhaoine Domhnach is dálach. Ní thuigeann siad a gcás. B'fhéidir gurb é sin an fáth nach mbíonn na daoine le feiceáil ar an Domhnach sa séipéal. Ní bhíonn saoi gan locht, mar a deir an seanfhocal agus gan amhras rinneadh botúin as cuimse san Eaglais. An féidir teacht ar shocrú nua ann? Bhuel is dóigh liom gur scéal casta fadtéarmach é. Teastaíonn comhoibriú agus tuiscint chun é a leigheas.

> **Gluais:** tuiscint… – *need greater understanding of ordinary life*, na deacrachtaí – *the difficulties ordinary people have*, rinneadh botúin as cuimse – *made incredible mistakes*

Alt 5

Is bocht an scéal é go bhfuil an méid sin deacrachtaí i gcúrsaí creidimh ag oiread sin daoine sa lá atá inniu ann. Gan amhras, is liosta le háireamh na lochtanna ata ar an Eaglais. Scaip Pobal Dé sa tír seo ach cá ndeachaigh siad? Chuaigh siad go dtí an t-ionad siopadóireachta in ionad an tséipéil ar an Domhnach. Thosaigh siad ag caitheamh airgid agus rinne siad dearmad ar a gcuid paidreacha. Ní beag a bhfuil ráite faoi ró-chaiteachas na linne seo. B'fhéidir go bhfuil suaimhneas agus sonas le fáil sna siopaí. B'fhéidir go bhfuil siad le fáil sa séipéal. Is ait an mac an saol. Tá réiteach na ceiste seo chomh sleamhain le eireaball eascainne. Nuair a thagann uair na cinniúna áfach, ní mór do chách a rogha a dhéanamh. Bhuel is maith an scéalaí an aimsir.

Gluais: deacrachtaí – *difficulties*, oiread sin – *so many*, lochtanna – *faults*, in ionad – *instead of*, paidreacha – *prayers*, suaimhneas agus sonas – *peace and happiness*

You could use this essay to deal with modern society, how Irish society has changed, modern consumerism and of course any aspect of the church, its problems and its future role in society.

Aiste 17

Baol agus bagairt i saol an lae inniu (aiste, 2004)

Danger in the world today

The first paragraph has been fully written for you here. The rest of the paragraphs provided have only <u>ráiteas</u> and <u>sampla</u> elements. You can use the fillers to make up the rest of the paragraphs yourself or take paragraphs directly from the other essays above.

Alt 1

Is léir domsa le déanaí go bhfuil an ráta coiriúlachta ag méadú bliain i ndiaidh a chéile sa tír seo anois. Ní beag a bhfuil ráite faoi. Tarlaíonn ionsaithe ar dhaoine, robálacha armtha agus dúnmharaithe go tráthrialta anois. Is annamh a bhíonn trácht ar ghadaíocht ghluaisteán nó tithe sna nuachtáin. Tarlaíonn siad chomh mion minic sin. Táimid dubh dóite de. Deirtear gur i dtús na haicíde is fusa í a leigheas agus caithfear a rá gur fíor sin sa chás seo. Conas is féidir an fhadhb a réiteach? Mura ndéanfar iarracht an cás a réiteach, ní bheidh leigheas air choíche.

> **Gluais:** an ráta coiriúlachta – *rate of crime is increasing*, ionsaithe – *attacks*, robálacha armtha… tráthrialta anois – *armed robberies and murders happen regularly now*, is annamh… – *rarely is car or house theft mentioned now as it happens so often*

Alt 2

Ní dóigh liom go bhfuil áit ar bith sa tír anois slán ón gcoiriúlacht.

Tráth dá raibh, bhí muintir na tuaithe sásta dul amach an doras gan é a chur faoi ghlas.

Ní dóigh liom anois, go bhfuil aon duine sásta fanacht ina dtigh féin san oíche gan glas a chur ar an doras nó an t-aláram a chur ar siúl.

> **Gluais:** slán ón gcoiriúlacht – *free of crime*, ní dóigh liom anois… – *once people left doors unlocked when they were out. Now people are afraid to stay in without locked doors and alarms turned on*

Alt 3

Feictear domsa go mbíonn eagla ar dhaoine dul amach ina n-aonar sa dorchadas ar na saolta deireanacha seo.

Ní dóigh liom go bhfuil aon duine slán ón mbaol. Seandaoine, mná agus fiú fir óga anois, dar ndóigh. Tarlaíonn ionsaithe ar fhir óga go mion minic anois sna cathracha agus faoin tuath ag an deireadh seachtaine ach go háirithe.

> **Gluais:** sa dorchadas – *in the dark*, slán ón mbaol – *no one is safe*, tarlaíonn ionsaithe – *attacks happen*

Alt 4

Taibhsítear domsa go bhfuil baint ag cúrsaí ólacháin le líon na gcoireanna atá ag tarlú sa tír i láthair na huaire.

Éiríonn daoine níos corraithe nuair a bhíonn siad ar meisce agus go minic bíonn fonn troda orthu.

> **Gluais:** baint ag cúrsaí ólacháin… – *drink is connected to the present rise in crime*, éiríonn daoine níos corraithe… – *people become aggressive when drunk and spoil for a fight*

Alt 5

Taibhsítear domsa go bhfuil baint ag cúrsaí drugaí le líon na gcoireanna, dúnmharuithe ach go háirithe, atá ag tarlú sa tír i láthair na huaire.

Caithfear a rá gur galar uafásach sa tsochaí é drugaí. Tarlaíonn sé chuile áit.

> **Gluais:** baint ag cúrsaí drugaí… – *drugs play a part in the murders*

Alt 6

Ní dóigh liom go bhfuil áit sa tír slán ón mbaol agus ón mbagairt sa lá atá inniu ann.

Ba chóir don rialtas an fhadhb seo a fhiosrú go hiomlán agus na ciontóirí a thabhairt os comhair na cúirte. Tá níos mó gardaí ag teastáil.

> **Gluais:** an fhadhb seo a fhiosrú – *must be fully investigated and those responsible brought to justice*, ag teastáil – *are needed*

Aiste 18

Na fadhbanna a bhíonn ag seandaoine i láthair na huaire (óráid, 2003)

Problems of the elderly

[Most of this essay is taken from Aiste 7& 8, but 8 in particular].

Alt 1 (aiste 7, alt 5)

A chomhscoláirí, taibhsítear domsa go bhfuil an tír ag dul chun rachmais bliain i ndiaidh a chéile agus go bhfuil na seirbhísí do sheandaoine na tíre, ag dul chun donais ag an ráta céanna. Mise i mbannaí duit gur náire shaolta é. Is é mo thuairim láidir go bhfuil meas an phobail ar sheandaoine ag dul i laghad lá i ndiaidh lae. Tá an córas sláinte ina phraiseach agus ag dul in olcas. Tá seandaoine ag maireachtáil go beo bocht sna cathracha agus faoin tuath fós gan chairdeas agus gan tacaíocht. Ní fhaigheann seandaoine a bhfuil máchail intinne nó coirp orthu an tacaíocht chuí sa tír seo cé go bhfuil státchiste na tíre lán. Sin rud atá ag dó na geirbe agam. Go minic cloistear nach bhfuil sprid ná púca gan fios a chúise agus is léir go bhfuil cúiseanna ar leith leis an bhfadhb seo. An bhfuil fuascailt na faidhbe le fáil? A chomhscoláirí, teastaíonn tuiscint láidir agus ceannaireacht láidir sa tír seo chun an scéal a leigheas.

Alt 2

Is léir domsa go bhfuil meas an phobail ar sheandaoine ag dul i laghad lá i ndiaidh lae. Is bocht an scéal é. Go minic ionsaítear seandaoine ina dtithe féin. Is minic a bhíonn eagla orthu a dtithe a fhágáil fiú. Goilleann sé go mór orm a leithéid a fheiceáil. Is mór idir inné agus inniu agus caithfear a rá gur fíor sin sa chás seo. Tráth dá raibh, bhí meas ag daoine ar a chéile. A chomhscoláirí, an bhfuil fuascailt ar na fadhbanna seo? Gan amhras, ba chóir deireadh a chur le nósanna áirithe agus cleachtais nua a chur ina n-áit. Mura ndéanfar iarracht an cás a réiteach, ní bheidh leigheas air choíche.

Alt 3 (aiste 8, alt 2)

Is léir domsa go bhfuil an tír seo ar maos in airgead le deich mbliana anuas. A chomhscoláirí, ní féidir a rá go bhfuil muintir na tíre aon phioc níos fearr as i ndáiríre. Ní beag a bhfuil ráite faoin staid éigeandála a thachtann ospidéil na tíre seo Domhnach is dálach – cosmhuintir na tíre seo, seandaoine ach go háirithe, ag fanacht ar obráid bliain i ndiaidh a chéile. Tá an t-uafás airgid á chaitheamh ag an rialtas ar an gcóras sláinte. Tá an t-uafás airgid le caitheamh ag an rialtas ach fós tá seandaoine ag fanacht agus ag fulaingt. Táimid dubh dóite de. Deirtear gur i dtús na haicíde is fusa í a leigheas agus caithfear a rá gur fíor sin sa chás seo. An bhfuil fuascailt na faidhbe le fáil? A Aire Sláinte, ní leor deora. Níl gar i gcaint. Caithfear an gníomh a chur leis an bhfocal.

Alt 4

Feictear domsa go bhfuil bochtaineacht coitianta i gceantair éagsúla na tíre fós. Ag dul in olcas atá cúrsaí. Tá seandaoine ag maireachtáil go beo bocht sna cathracha agus faoin tuath fós gan chairde, gan tacaíocht. Ní dhearna an Tíogar Ceilteach puinn difríochta do sheandaoine na tíre i ndeireadh na dála. Buaileann spadhar mé nuair a smaoiním ar a leithéid. Mar a deir an seanfhocal, i ndiaidh a chéile a thógtar na caisleáin. Tá an fhadhb chomh sean leis na cnoic. An féidir an fhadhb a réiteach? Gan amhras, a chomhscoláirí, dá mbeadh plean fadtéarmach ag na húdaráis, d'fhéadfaí an scéal a leigheas.

Alt 5

Is dóigh liom go bhfuil borradh as cuimse tar éis tarlú sa tír seo le tuairim is deich mbliana anuas. Níl gar a shéanadh. Cén fáth mar sin, nach bhfaigheann seandaoine a bhfuil máchail intinne nó coirp orthu an tacaíocht chuí sa tír seo ainneoin go bhfuil státchiste na tíre lán. Is é an feic saolta é. Caitheann na seandaoine seo a saol in ospidéil nach bhfuil oiriúnach dóibh. Ní fhaigheann siad an cúram atá tuillte acu. B'fhearr liom an sioc sa samhradh ná é. Is ait an mac an saol, cinnte. A chomhscoláirí, an féidir teacht ar shocrú nua? Tá sé de dhualgas orainn go léir aire a thabhairt do sheandaoine na tíre seo. Táim cinnte go n-aontaíonn sibh liom agus go bhfuil sibh go léir ar aon intinn liom. Go raibh maith agaibh, a chomhscoláirí.

> **Gluais:** ospidéil nach bhfuil oiriúnach dóibh – *unsuitable hospitals*, ainneoin… – *despite the fact*, an cúram atá tuillte acu – *the care they deserve*, de dhualgas orainn – *our duty*

SECTION B
Stair na Teanga

i. Some guidelines to help you to prepare for this question

- This question appears at the end of Paper II, so it is easy to miss it if you are short on time. Don't leave it until the end however. This is a straightforward question and you have an opportunity to gain marks very easily, if you know the topic.
- This question is worth 30 marks so you should aim to spend 30 minutes at most on this question; a minute = a mark. You should follow this rule for all the questions on Paper II.
- You choose 2 questions from a list of 6 to answer, so you have 15 minutes for each one.
- Usually you are given the instruction 'Is leor trí mhórphointe'. So you are not required to give a long essay type answer, three main points only.
- **Never go over time on any question.**
- Poets and writers come up as topics, but don't bother trying to learn them in isolation. There are too many of them to remember.
- *Rúraíocht* and *Fiannaíocht* are good topics. Don't depend upon them however, but aim to study them well.
- Types of poetry come up frequently. Prepare them well as a group, but not in isolation.
- The *Aisling, Amhrán,* an *Dán Díreach,* an *Caoineadh* and *Dánta Grá* are asked quite a lot and are all good questions to consider. Be sure you are clear on the characteristics of each type of poetry and prepare them in order. They will be easier to remember.
- *Irish as a Celtic language* is also worth learning.
- *Canúintí, the Gaeltacht* and the *Irish Language in the media,* turn up quite frequently. Don't forget that if you have prepared the '*Irish language*' as an essay topic you can recycle it here also.
- **Always keep the question in mind as you answer. Stick to the point.**

ii. An Ghaeilge mar theanga Cheilteach agus na teangacha Ind-Eorpacha

Irish as a Celtic language and the Indo–European languages

Shíolraigh an Ghaeilge ón gCeiltis, ach cad as a dtáinig na teangacha Ceilteacha?

Irish has its roots in the Celtic languages, but where did the Celtic languages come from?

1. Bhuel, shíolraigh na teangacha Ceilteacha, an chuid is mó de theangacha na hEorpa, na teangacha a labhraítear san India agus fiú, teangacha a labhraítear san Áise freisin as aon teanga amháin – An Ind-Eorpais.

Celtic: most European languages and even languages spoken in India and Asia all have roots in one language – Indo-European.

2. Is féidir linn a rá mar sin go bhfuil na teangacha go léir sin gaolmhar lena chéile, clann mar a déarfá, agus an Ind-Eorpais mar mháthair ag an gclann seo.

All these languages can be seen as a family, related to one another with Indo-European as the mother of all.

3. Cathain agus cad as a dtáinig an Ind-Eorpais?

Níl fianaise na staire againn ach deir na saineolaithe go raibh an pobal seo ar an bhfód thart ar 5000 bliain roimh Chríost agus tá an chuma ar an scéal gur mhair siad i dtailte éigin i ndeisceart na Rúise.

We have no historical evidence but experts believe that these people existed 5000 years before Christ and they appear to have lived in the lands of southern Russia.

4. An Ind-Eorpais – canúintí – teangacha éagsúla.

Indo-European breaks down to dialects and eventually into other distinct languages.

Le himeacht aimsire, scaipeadh an pobal seo ar fud na hEorpa agus i bhfad níos faide fós ná sin. De réir mar a scaipeadh iad tháinig athrú ar an teanga. Canúintí a bhí iontu ar dtús. Lean canúintí den Ind-Eorpais ar aghaidh ag athrú agus ag síorathrú go dtí go raibh difríochtaí móra eatarthu.

With the passing of time, these people spread out around Europe and much further afield. As they spread out their language changed. Dialects at first. The dialects of Indo-European continued to change until they became very distinct from one another.

5. Le himeacht aimsire mar sin, d'athraigh na canúintí go teangacha éagsúla.

As time passed, dialects developed into distinctly different languages.

An Cheiltis mar shampla, na teangacha Gearmánacha (Germanic), Rómánsacha (Romance) agus Slavacha (Slavic), agus cuid de na teangacha a labhraítear san Ind.

6. Bhí na treibheanna Ceilteacha in uachtar ar fud na hEorpa roimh aimsir Chríost.

Bhí siad lonnaithe ar uachtar na Danóibe thart ar 2000 R.Ch. agus an Cheiltis mar theanga acu. Chaill na Ceiltigh an lámh in uachtar sa Mhór-Roinn ina dhiaidh sin agus d'imigh na teangacha Ceilteacha chomh maith.

The Celtic tribes ruled much of Europe in the time B.C. They settled around the upper Danube around 2000 B.C and Celtic was their language. They lost their power as time passed and the Celtic languages disappeared also.

7. Tá *iarsmaí* fós le feiceáil de na teangacha Ceilteacha sin *i logainmneacha na hEorpa.*

Remains of Celtic languages still echo in the placenames of Europe; Wien (Vienna) mar shampla.

Deir na saineolaithe gur focail Cheilteacha iad; *Bonn, Ghent* agus *Brugge* (Bruges) agus go dtagann Lyons agus Leiden ó Lú-dhún i ndiaidh Lú an dia Ceilteach.

Experts believe that these all have Celtic origins.

8. Tá an fhianaise ar an scéal go raibh an pobal Ceilteach in Éirinn thart ar 500 bliain roimh Chríost.

Evidence suggests that the Celts were in Ireland around 500B.C.

Teangacha Ceilteacha

Dhá ghrúpa nó cánúintí Ceilteacha a bhí le sonrú sa Bhreatain agus in Éirinn thart ar an am seo.
Two distinct Celtic dialects existed in Britain and Ireland at the time.

Teangacha Ceilteacha iad seo a leanas:
Two Celtic language groups are as follows:

P-Cheiltis (fuaim na litreach **p** a húsáid acu; **pedwar**-four (Welsh))
* an Bhreatnais *Welsh*
* an Bhriotáinis *Breton*
* an Choirnis *Cornish*

Q-Cheiltis (fuaim na litreach **q** nó **c** a húsáid acu; **ceathair**-four Irish)
* an Mhanainnis *Manx*
* Gaeilge na hAlban *Scots Gaelic*
* an Ghaeilge *Irish*

Shíolraigh Gaeilge na hÉireann agus Gaeilge na hAlban agus an Mhanainnis **ón tSean-Ghaeilge.**
All three languages have their roots in Old Irish, which of course has its roots in the Celtic language of the first Celtic settlers in Ireland.

Is iad na teangacha Ceilteacha atá fós á labhairt inniu ná:
Celtic languages still spoken today:

* an Bhreatnais
* an Bhriotáinis
* Gaeilge na hAlban
* An Ghaeilge

iii. Tréithe a bhaineann leis na teangacha Ceilteacha

Characteristics of the Celtic languages

1. **An aimsir láithreach** agus **an aimsir ghnáthláithreach**
Present and present continuous form of the verb 'bí'.

2. **An fhoirm tháite**
Compound verbs – where one word conveyed the tense, person and number of the verb, m.sh. 'bhíos' (I was), ní fhacas (I didn't see), an rabhais? (did you?)

3. **Na forainmeacha réamhfhoclacha** m.sh. do + mé = dom, le + mé = liom.
In other non-Celtic languages they keep two separate words; 'to me'or 'with me'.

4. **Neodar;** nuair nach raibh ainmfhocal baininscneach nó firinscneach ach neodrach.
Where the noun has a neutral gender, neither feminine nor masculine.

5. **Séimhiú** agus **urú;** an-tábhachtach go deo sna teangacha Ceilteacha.
Very important in Celtic languages, used to denote possession for example in third person singular, a chóta (his coat), a cóta (her coat).

6. **Na tuisil**
The cases of nouns are very important in Celtic languages.

iv. Tionchar ag teangacha iasachta ar an nGaeilge

The influence of foreign languages on Irish

Lean an tSean-Ghaeilge ar aghaidh ag athrú agus ag síorathrú ó tháinig na Ceiltigh anseo don chéad uair.
Old Irish continued to change long after the Celts first arrived.

1. Tháinig **focail nua** isteach **le teacht na Críostaíochta** (*coming of Christianity*) ón Laidin; 'cat' *cattus*; 'corp' *corpus*; 'póg' *pax*; 'leabhar' *liber*.

2. Tháinig roinnt focal isteach **ón mBreatnais;** 'Gael' *Gwyddhl;* 'carraig' carrec.

3. Tháinig **iasachtaí** borrowings isteach **ó na Lochlannaigh** *from the Vikings.* Baineann na focail seo le cúrsaí loingseoireachta agus le cúrsaí tráchtála *mainly with regard to seafaring terminology and trade.* m.sh. 'bád'; 'scilling'; 'margadh'.

4. Tháinig focail isteach **ón bhFraincis;** buidéal (bouteille); séipéal (chapelle); garsún (garcon).

5. **Shíolraigh teangacha na hEorpa ón Ind-Eorpais agus lean siad ar aghaidh ag teacht faoi thionchar a chéile agus iad fós ceangailte lena chéile.** *Continued to influence each other and remain connected.* m.sh. athair (Gaeilge); pater (Laidin); patér (Gréigis); vater (Gearmáinis); père (Fraincis); bróg (Gaeilge); bróc (sean-Bhéarla); brók (na Lochlannaigh).

6. **Focail ag teacht isteach ón mBéarla de shíor** *borrowings from modern English are continual.* M.sh. péinteáil (*painting*); sacar (*soccer*); dochtúir (*doctor*).

v. Ogham

Ogham

1. Córas scríbhneoireachta a bhí in úsáid ag na Sean-Ghaeil *Writing system used by Sean-Ghaeil.*

2. Is é seo **an córas scríbhneoireachta is sine sa Ghaeilge.** *Oldest writing system in Irish.*

3. Lean na daoine ar aghaidh ag baint úsáid as an gcóras seo go dtí an t-ochtú haois.

Used until the 8th century.

4. **Bhunaigh siad an córas ar aibítir na Laidine.**

Based on the Latin alphabet.

5. Bhain siad úsáid as **poncanna do na gutaí agus cuireann línte na consain in iúl.**

Points denoted vowels, slashed lines denoted consonants.

6. Ghearr siad na línte agus na poncanna ar imeall na gcloch.

Lines and points were cut into the edge of the stone.

vi. Gluaiseanna

Notes

1. Ón seachtú haois ar aghaidh, d'imigh **manaigh** ó Éirinn go dtí an Mhór-Roinn agus **bhunaigh siad mainistreacha** ansin

Irish monks founded monasteries in Europe.

2. Chaith cuid de na manaigh a saol ag cóipeáil lámhscríbhinní.

Copying out manuscripts.

3. **Laidin** amháin a bhí in úsáid ar na lámhscríbhinní ansin.

Latin alone was used on the manuscripts.

4. Bhain siad úsáid as **lámhscríbhneoireacht ornáideach** go minic le dathanna agus pictiúir

They often used a highly ornate style with colour and pictures.

5. **Mhínigh siad an Laidin** a bhí scríofa acu go minic le **'gluaiseanna' sa tSean-Ghaeilge.**

They often explained the Latin they were using with 'notes' in old Irish.

6. Scríobhadh na gluaiseanna ar imeall na leathanach nó idir na línte áirithe sa Laidin.

Notes were written in the margins or between the lines of Latin.

7. Is mór an chabhair a thug na gluaiseanna sin do na saineolaithe a bhí ag iarraidh grinnstaidéar a dhéanamh ar an tSean-Ghaeilge.

These notes were a great help to experts studying old Irish.

8. D'fhoilsigh Johann Zeuss Grammatica Celtica sa bhliain 1853, ó thorthaí a chuid oibre ar na gluaiseanna sin.

Zeuss published his findings from the study of Gluaiseanna in his book in 1853.

vii. Na canúintí

Dialects

Tá trí phríomhchanúint sa Ghaeilge (*3 main dialects in Irish*):

* canúint an Tuaiscirt *as found in northern Gaeltacht areas*
* canúint an Iarthair *the west*
* canúint an Deiscirt *the south*

Is idir an Tuaisceart agus an Deisceart atá na difríochtaí is mó.

The greatest differences of dialect can be found between the northern and the southern dialects.

Tá canúint an Iarthair cosúil le canúint an Tuaiscirt.

The dialect of the west is nearer to that of the north in many ways.

Tá na difríochtaí le feiceáil maidir le:

Differences of dialect occur under these headings:

* stór focal *vocabulary*
* foghraíocht *pronunciation*
* gramadach *grammar*
* leaganacha cainte *conversational phrases*

Stór Focal

Tuaisceart	Deisceart	Iarthar	
tobann	obann	tobann	*sudden*
bomaite	nóimeat	nóiméad	*a minute*

Foghraíocht

Cnoc, mná – á fhuaimniú fós (*still pronounced as*) mar **'n'** i gCúige Mumhan.

Ach, á fhuaimniú mar **'r'** san Iarthar agus sa Tuaisceart (*pronounced as an 'r' in Connacht and Ulster*) cosúil le **'mrá'** nó **'croc'**.

Gramadach

Tuaisceart	Deisceart	Iarthar
Ar an charr	ar an gcarr	ar an gcarr

Leaganacha cainte

Tuaisceart	Deisceart	Iarthar
Goidé mar atá tú?	*Conas atá tú?*	*Cén chaoi a bhfuil tú?*

viii. Gaeltachtaí

Gaeltacht regions

Gaeltacht: áit ina bhfuil Gaeilge á labhairt ag muintir na háite mar phríomhtheanga.

BreacGhaeltacht: Gaeilge agus Béarla á labhairt taobh le taobh
(*where both Irish and English are spoken side by side*)

Seo liosta de na Gaeltachtaí:

- Gaeltacht Thír Chonaill
- Conamara
- Oileáin Árainn (Gaillimh)
- Gaeltacht Mhaigh Eo
- Corca Dhuibhne (Ciarraí)

- Cúil Aodha (Contae Chorcaí)
- An Rinn (Port Láirge
- Ráth Cairn (An Mhí)

Is í Gaeltacht na Gaillimhe an Ghaeltacht is mó sa tír.
Co. Galway has the biggest Gaeltacht.

Aistríodh daoine ó Chonamara go Ráth Cairn, Contae na Mí.

Tá an Ghaeltacht sin beo beathach anois.
People moved from the Gaeltacht in Galway to Meath and this now is a living Gaeltacht.

Bíonn deontais ar fáil do dhaoine sa Ghaeltacht.
Grants are available for Irish speakers in these areas.

ix. An Ghaeilge sna meáin chumarsáide

Irish in the media

- Raidió na Gaeltachta
- TG4
- Raidió na Life
- An tIdirlíon
- Lá
- Foinse

Thosaigh **Raidió na Gaeltachta** ag craoladh (*broadcasting*) sna seachtóidí (1972) agus thar na blianta tá freastal nach beag déanta (*have well-served*) ag RnaG ar mhuintir na Gaeltachta agus ar lucht na Gaeilge ar fud na tíre. Bíonn réimse leathan cláracha ar an stáisiún – nuacht an lae, (áitiúil, náisiúnta agus idirnáisiúnta), chomh maith le réimse leathan ceoil. I gcás an cheoil, tugtar tús áite, ar ndóigh, do cheol traidisiúnta.

Chuaigh **Teilifís na Gaeilge** ar an aer Oíche Shamhna 1996. D'athraigh siad ainm an stáisiúin go TG4 i 1999 agus tá ardchaighdeán na gclár (*high quality of programming*) doshéanta (*undeniable*) anois. Sna seanlaethanta ní bhíodh ach corrchlár Gaeilge (*the odd Irish programme*) ar sceidil RTÉ ach tá raon leathan (*huge variety*) cláracha ar fáil anois d'óg is aosta le Cúla 4, spórt, nuacht, drámaí agus ceol.

Bunaíodh **Raidió na Life** i 1993 chun seirbhís raidió lán-Ghaeilge a sholáthar (*to provide*) do Bhaile Átha Cliath agus an ceantar máguaird (*and surrounding area*). Bíonn meascán bríomhar de stíleanna le cloisteáil (*lively mix of styles*) mar chuid den sceideal idir cheol, spórt, nuacht, chúrsaí cultúrtha agus chúrsaí reatha.

Foilsítear an nuachtán *Saol* go míosúil do phobal na Gaeltachta agus tagann *Foinse* amach go seachtainiúil le nuacht náisiúnta agus idirnáisiúnta. Foilsítear an nuachtán *Lá* cúig lá in aghaidh na seachtaine sa Tuaisceart.

Chomh maith le sin ná déan dearmad ar an **Idirlíon** agus na suímh atá ann do lucht na Gaeilge. Ar nós (*like*) gach rud atá le fáil ar an Idirlíon, tá cuid acu go maith agus ar ardchaighdeán (*of a high standard*) agus cuid eile nach bhfuil thar moladh beirte (*not worth a great deal*).

x. Stair na teanga agus stair na litríochta

An tSean-Ghaeilge 600 AD – 900 AD

Shíolraigh an tSean-Ghaeilge ón gCeiltis a tháinig anseo leis na Ceiltigh roimh aimsir Chríost (*Old Irish descended from Ceiltis which came with the Celts B.C.*) Thosaigh na manaigh ag bunú mainistreacha in Éirinn sa chúigiú haois (*monks began setting up monasteries in the fifth century*). Le himeacht ama bhunaigh siad scoileanna i gcuid de na mainistreacha. Is ansin a chaomhnaigh siad an léann (*here they preserved learning*). Is i Laidin a scríobh na manaigh go dtí an naoú haois. Tagann an t-eolas atá againn maidir leis an tSean-Ghaeilge ó na gluaiseanna a scríobh na manaigh ar na lámhscríbhinní chun an Laidin a mhíniú. *All we know about old Irish comes to us from the gluaiseanna of the manuscripts.* Tháinig meath ar an tSean-Ghaeilge nuair a tháinig na Lochlannaigh sa naoú haois. Scriosadh na mainistreacha agus bhí an tír ina praiseach. *Old Irish declined with the coming of the Vikings in the 9th century, who destroyed the monasteries.* Baineann an Rúraíocht leis an tréimhse seo. *Rúraíocht literature comes to us from this era.*

Meán-Ghaeilge 900 AD – 1200 AD

Bhí scoileanna na mainistreacha imithe agus simplíodh structúr na teanga dá bharr.
With the destruction of the Monastic schools, the language became more simplified.

An Ghaeilge Chlasaiceach 1200 – 1650

Tháinig na Normannaigh sa bhliain 1169 agus bhí an tír ina praiseach (*in chaos*) arís. Tháinig na bardscoileanna chun tosaigh agus rinneadh caighdeánú ar an teanga a bhí in úsáid ag na filí agus an lucht léinn. *Bardic schools produced a standardisation of the language for the learned scholars, as the monks had before them.* Chum na filí an dán díreach sna bardscoileanna. Bhain siad úsáid as meadarachtaí siollacha. Baineann na dánta grá leis an tréimhse seo. *Poets composed an dán díreach, in syllabic metre in the bardic schools. Dánta grá come from this period.*

An Nua-Ghaeilge 1650 – i leith

Tháinig deireadh le ré órga na mbardscoileanna agus an córas pátrúnachta. Tar éis Chath na Bóinne bhí na Gaeil go mór faoi smacht.

The golden age of schools and patronage came to an end. After the Battle of the Boyne the Gaelic Irish were without power and very subdued.

Tháinig meath (*decline*) ar an an dán díreach sa seachtú haois déag agus tháinig meadarachtaí an amhráin, chun cinn. *It was replaced by the metre of the 'amhrán'.* Thaitin siad leis na gnáthdhaoine, mar scríobhadh na dánta i ngnáththeanga na ndaoine. *These were popular with ordinary people as they were composed in ordinary language.* Baineann an aisling, an aisling pholaitiúil (*the political Aisling*) agus na caointe leis an tréimhse seo.

xi. Stair na litríochta

An Rúraíocht

Tréithe *Characteristics*

1. **Litríocht na n-uaisle** atá inti agus shíolraigh cuid mhaith díobh ó rí darbh ainm Rúraí. Uaidh sin a fuair na scéalta an teideal seo.

The Rúraíocht cycle deals with the literature of the nobles, many of whom descended from a king called Rúraí, hence the title.

Is litríocht an laochais í.

It is heroic literature.

2. Baineann na scéalta le **ríthe agus laochra**, Cú Chulainn agus an Craobhrua, Conchúr Mac Neasa agus uaisle agus **laochra Uladh**.

The stories are concerned with kings and nobles, Cú Chulainn and the Red Branch Knights, King Conor and the nobles and the warriors of Ulster.

3. Is iad **'Táin Bó Cuailnge'** agus **'Oidhe Chlainne Uisnigh'** na scéalta is tábhachtaí sa tsraith seo.

The 'Cattle Raid of Cooley' and 'Clann Uisnigh' form the main body of work in the cycle.

4. Feictear na huaisle ina ndúnta agus ina gcarbaid. Ní fheictear iad amuigh faoin aer.

We see them in their forts and chariots, but not in the open air.

5. Léirítear an saol na céadta bliain roimh theacht na Críostaíochta.

It portrays life hundreds of years before the coming of Christianity.

6. Leagtar **béim mhór ar an mbarbarthacht, cathanna** agus **comhrac aonair**.

A great emphasis on barbarism, battles and single combat.

7. **An ghaisciúlacht** atá mar threoir ag na laochra i gcónaí. Ní ligtear dóibh iad féin a iompar go stuama nó go faiteach.

Heroism guides the warriors at all times. They are not allowed to be prudent, sensible or timid.

8. Ní bhíonn an rómánsaíocht (*no romance*) ná an daonnacht (*no humanity*) ná an grá don dúlra (*no love for nature*) le feiceáil sa litríocht seo (*to be seen in this form of literature*).

9. Bíonn an **áibhéil** (*exaggeration*) agus an **draíocht** (*magic*) go láidir (*are strong*) sa Rúraíocht.

10. Ní bhíonn foclachas na Fiannaíochta le feiceáil sna scéalta.

The wordiness of the Fiannaíocht is not to be seen here.

Úsáidtear stíl lom ghonta.

A bare and unadorned style is used instead.

Táin Bó Cuailgne

D'fhógair Méabh, banríon Chonnacht, cogadh ar Chúige Uladh mar diúltaíodh tarbh Chuailgne di. *Queen Méabh declared war on Ulster because she was refused the bull of Cuailgne.* B'éigean do Chú Chulainn Cúige Uladh a chosaint. *Cú Chulainn had to protect Ulster.* Léirítear gaisce Chú Chulainn sa chomhrac aonair le Feardia. *The bravery of Cú Chulainn is portrayed in his single combat with Ferdia.*

Oidhe Chlainne Uisnigh

D'imir Conchúr Mac Neasa feall ar Naoise Mac Uisnigh agus a

dheartháireacha mar d'éalaigh Naoise le Deirdre agus í ar tí an rí a phósadh. *King Conor was guilty of treachery towards Naoise and his brothers, because Naoise eloped with Deirdre who was already engaged to the king.* Mharaigh Conchúr iad go fealltach. *Conor killed them in a treacherous manner.*

An Fhiannaíocht

Cúlra *background*

1. Baineann litríocht na Fiannaíochta le **Cúige Mumhan** agus le **Cúige Laighean.**
This genre of literature is connected with Munster and Leinster.

2. Chuaigh litríocht na Rúraíochta in éag (*declined*) sa dóú haois déag.

Tháinig litríocht na Fiannaíochta chun cinn (*became popular*).

3. Is **ón mbéaloideas** a d'eascair na scéalta Fiannaíochta (*evolved from folklore*).

Bhí scéalta i mbéal na ndaoine ón ochtú haois anuas.

These stories were being told by the people from the eight century onwards. The following are examples of collections of these tales:

* 'Macghníomhartha Finn' (*exploits of the young Fionn*)
* 'Agallamh na Seanórach' (*Colloquy of the Ancients*)

Tréithe *Characteristics*

1. Tagann an Fhiannaíocht ón mbéaloideas (*comes from folklore*).

2. Tá difríocht mhór idir í agus an Rúraíocht.
They differ in many ways.

3. Is **gnáthdhaoine** iad an Fhiann seachas ríthe agus uaisle.
Ordinary people, rather than kings or nobles, feature in the stories.

4. Tá áit faoi leith **ag an dúlra** san Fhiannaíocht mar codlaíonn na Fianna faoin spéir, tarlaíonn eachtraí faoin aer, ar chnoic agus i gcoillte agus iad ag seilg.
Nature and the outdoors play a great part in the stories as they sleep in the open air, all action is outdoor on hills, in woods, hunting.

Léirítear grá mór don dúlra sna laoithe.
The warriors' love of nature is seen in the 'lays' or poems.

5. Is **litríocht chneasta rómánsach** í an Fhiannaíocht (*kindly and romantic*).
Ní bhíonn an bharbarthacht chomh láidir san Fhiannaíocht.

Barbarism is not as strong as in Rúraíocht.

6. Feictear an **áibhéil** *(exaggeration)*, greann *(humour)* agus an **draíocht** *(magic)* go láidir *(are strongly represented)* in san Fhiannaíocht.

7. Bíonn gach rud **'dubh nó bán.'**
Everything is black or white.

8. Bíonn an **foclachas** ann.
Can be very long-winded.

Baintear úsáid as ruthaig.
Runs or chases are often used; whereby a sequence of events is repeated again and again, word for word, throughout the story as an aid to the storyteller.

Baintear úsáid as **sruthanna focal** ag tosú leis an litir chéanna chomh maith.
Runs of words starting with the same letter are often used.

Seo **rian an bhéaloidis.**
Shows influence of Folktales

9. **'Macghníomhartha Finn'** *(exploits of the young Fionn)*

Tugtar cuntas sna scéalta seo ar óige Fhinn, marú a athar ag Cath Chnucha, an Bradán Feasa agus mar a bhain sé ceannas na Féinne amach.

Stories tell of Fionn's childhood, father's death in battle, salmon of knowledge and how he became the leader of the Fianna.

10. 'Agallamh na Seanórach' *(Colloqy of the Ancients)*.

Scéalta próis agus laoithe atá sa chnuasach seo.
Tales and lays in this collection.

In **'Agallamh na Seanórach'**, buaileann Caoilte agus Oisín le Pádraig Naofa. *They meet St Patrick.* Insíonn na laochra eachtraí faoin bhFiann do Phádraig, an scéal a bhaineann le Tír na nÓg, agus faoi ainmneacha áiteanna cáiliúla. *They tell Patrick about the exploits of the Fíanna, the tale of Tír na nóg and the famous placenames of Ireland.*

xii. Filíocht: bardscoileanna ó 1200 go 1650

Bardic schools

1. Mhair na bardscoileanna nó dámhscoileanna ón mbliain 1200 go 1650.
They existed from 1200 to 1650.

2. Bhí na filí **faoi phátrúnacht na dtaoiseach.**
Poets were under the patronage of the lords and kings.

3. Sna bardscoileanna fuair siad **oiliúint ar na meadarachtaí siollacha** agus sa léann dúchais.
Here they received training in syllabic metres – an dán díreach – and an education in matters of history, the law, genealogy etc…

4. Is beag difríocht a fheictear idir dán a scríobhadh sa tríú haois déag agus ceann a cumadh sa séú haois déag. *Poems composed in the 13ʰ century differ little from poems of the 16ᵗʰ century.* An Ghaeilge Chlasaiceach a bhíodh á múineadh sna scoileanna agus **chaomhnaigh siad an teanga le caighdeán.** *Classical Irish was taught in the schools which they preserved with a strict standard.*

5. **Ollaimh** a thugtaí ar phríomhfhilí na scoileanna.
This was the title given to the main poet of the school.

6. Chaith mac léinn **seacht mbliana** i mbun staidéir sula mbeadh sé cáilithe mar fhile.
Seven years of training before a poet was qualified as a poet.

7. Ansin théadh sé faoi phátrúnacht taoisigh.
Then the poet would go under the patronage of a Gaelic lord.

8. Chumadh sé **dánta molta** (*praise poems*) ag móradh eachtraí an taoisigh (*praising the deeds of the lord*) agus **caointe** (*laments*) nuair a d'fhaigheadh duine bás. Ba **staraí** é freisin. Bhí an seanchas aige agus choinníodh sé cuntas ar gach pósadh, breith, agus bás. *The poet was also a historian for the lord, he recorded all the events in the lord's family in poetry.* Bhronnadh na taoisigh **tailte** ar na filí. *The lords gave the poet land in return and a high standard of living.*

9. Scríobhtaí na dánta a chum na filí i nduanairí na dtaoiseach. *The poems which were composed were kept in the anthology of the lord.* Chumadh an file dán molta ag comóradh ruathar creiche (*raid for plunder*) ar thailte taoisigh eile. *Successful raids on the lands of other lords were recorded.* Bhíodh ar an taoiseach bheith fial leis an bhfile ar eagla go gcumfadh sé **aoir** air. *The lord had to be generous to the poet for fear that he might decide to compose a satire instead.*

An dán díreach

Bhain filí na mbardscoileanna úsáid as meadarachtaí siollacha (*syllabic metres*).

Rannaíocht mhór (*this is the name of one of the syllabic metres*).

7' + 7' (*this is how this metre is written*).

Each line contains seven syllables and the last word of each line has one syllable.

***Óglachas* ar rannaíocht mhór** (*this would be a looser version of the metre*).

Rialacha *rules*

1. Bíonn **ceithre líne** i ngach aon véarsa
(*four line verse*).

2. Bíonn **méid áirithe siollaí** i ngach líne.
Certain number of syllables in every line.

3. Bíonn **méid áirithe siollaí san fhocal deiridh.**
Certain number of syllables in the last word of every line.

4. Bíonn dhá fhocal ag freagairt dá chéile.
Two word agreement or balancing of words.

5. Bíonn an líon siollaí, na gutaí céanna agus consain áirithe iontu.
Must have same number of syllables, same vowels and agreement of consonants.

6. Bíonn focail ag freagairt dá chéile go seachtrach.
Words would balance/or externally rhyme.

7. Bíonn focail ag freagairt dá chéile go hinmheánach.
Words balance/or internally rhyme.

8. Bíonn **uaim** in úsáid sna línte
(*alliteration*).

9. Bhí na rialacha **an-chasta.**
Rules were very complicated.

Ní raibh saoirse ag an bhfile.
Poet had no freedom of composition.

Ní bhíonn smaointe pearsanta ná mothúcháin phearsanta á léiriú.
Personal ideas or feelings were never portrayed in this genre of poetry.

10. Úsáidtear focail go minic chun an mheadaracht a shásamh.
Words were chosen to satisfy metre at the expense of sense or expression.

Na dánta grá (an fhilíocht chúirtéiseach)

Courtly love poems

Is i bProvence na Fraince a d'eascair an fhilíocht ghrá.
Originated in Provence.

Thug na Normannaigh téamaí na litríochta seo go hÉirinn.
Normans brought this literature with them to Ireland.

Scríobhadh na dánta grá sa **dán díreach** idir 1350 agus 1650.

Ba é 'Gearóid Iarla' (1338 – 1398) a chéadchleacht an faisean seo.
He was the first to engage in this new fashionable form of poetry.

Gnéithe *Characteristics*

1. Pléitear leis an ngrá **ar leibhéal idéalaíoch.**
Love is idealised, it is not real.

2. Tugann an fear ómós don bhean álainn.
He respects the lovely woman.

3. Bíonn sí **dofhaighte**. Go minic bíonn sí pósta.
She is unattainable. Often she is married.

4. **Galar** is ea an grá. Bíonn **mearbhall** air.
Love is a disease. He is dazed and confused.

5. Bíonn an file **cráite** (*tormented*). Ní féidir leis codladh. Ní bhíonn sos i ndán dó ach an bás nó póg ón mbean álainn.
His only hope for respite from his affliction is either death or a kiss from this woman.

6. Bíonn diamhracht ag baint leis an ngrá seo (*mystery*).

7. Ach ag an am céanna baineann sé pléisiúr de shórt éigin as a chruachás.
But on the other hand he derives a certain pleasure from his misfortune.

8. Ní bhíonn an file i ndáiríre.
He is not serious.

Bíonn **íoróin** agus **greann** iontu.
They contain irony and humour.

9. Bhí tionchar ag na dánta grá ar amhráin ghrá a tháinig níos déanaí (1650–) ach bhain sin le téarmaíocht amháin.
Influenced later love songs but only with regard to terminology.
Sna h-amhráin ghrá bíonn an file lándáiríre.
Poet is very serious in later love songs unlike na dánta grá of earlier times.

xiii. Filíocht ón ochtú haois déag

Poetry from 18th century onwards

Sa dara leath den seachtú haois déag (1650 i leith) agus san ochtú haois déag cumadh:

1. Amhráin ghrá (*love songs*)

2. Aortha (*satires*)

3. Caointe (*laments*)

4. Aislingí (*vision poems*)

i meadarachtaí an amhráin (*were composed in the amhrán metre*).

Meadarachtaí an amhráin

Tháinig meath (*decline*) ar an an dán díreach sa seachtú haois déag.

Tháinig **meadarachtaí an amhráin,** meadarachtaí na ngnáthdhaoine, chun cinn. *Dán díreach metres were replaced by the metre of the 'amhrán', the metre of more ordinary people.*

Bhí na meadarachtaí nua sin **i bhfad níos simplí.** *New metre was more easily achieved.*

Thug siad saoirse don fhile a mhothúcháin phearsanta a chur in iúl. *They gave the poet freedom of expression to express his own personal feelings.*

Bhí **rithim** ag baint leo. *They had a certain rhythm.*

Thaitin siad leis na gnáthdhaoine, **mar scríobhadh na dánta i ngnáththeanga na ndaoine.** *Popular with ordinary people as they were composed in ordinary language.*

Trí rann agus amhrán

Chum filí Uladh dánta i meadaracht ar a dtugtar 'trí rann agus amhrán' sa tréimhse seo. *Ulster poets composed verse using the metre 'trí rann agus amhrán' at this time.*

Bhíodh trí véarsa ann i meadarachtaí siollacha agus an véarsa deireanach i meadaracht an amhráin. *Three verses in syllabic metre and final verse in 'amhrán' metre.*

'Toighe Chorr an Chait' le Séamas Dall Mac Cuarta (1647-1733). *An example of this genre.*

An dán díreach agus an t-amhrán

Chleacht Seathrún Céitinn (1600-1640), Pádraigín Haicéid (1600-54), Dáibhí Ó Bruadair (1625-98) agus Piaras Feirtéir (1600-53) an dán díreach agus an t-amhrán. *These poets composed in both metres.*

An t-amhrán

Meadarachtaí aiceanta atá ann (*stressed metre*).

Bíonn **méid áirithe céim i ngach líne** agus **béim ar ghuta** sna céimeanna sin. *Particular amount of phrases in every line and stress was placed on the vowels in each phrase.*

'Cumha Eoghain Rua' le Pádraig Mac Giolla Fhiondáin (1666-1733). *An example:*

Níl st**á**idbhean ts**é**imh de Gh**ae**laibh be**o**, mo-n**ua**r!

Gan r**á**s na nd**é**ar ag c**é**imiú r**ó**d 'na ngr**ua**;

Tá cúig chéim i ngach líne, le patrún gutaí aiceanta mar seo
(*stressed vowel sounds*): **á-é-é-ó-ua**.

Tá **comhfhuaim idir na céimeanna** in aon líne agus na céimeanna céanna
sna línte eile.

Comhfhuaim – *agreement of vowel and consonant between the stresses in one
line and another.*

Na h-amhráin ghrá

Tá difríocht mhór le sonrú idir na h-amhráin ghrá agus na dánta grá.
*There is a noticeable difference between the love songs and the earlier love poems,
or courtly love poems.*

In amhráin ghrá na ndaoine bíonn:

1. **Dáiríreacht** *they are of a serious nature*
2. **Paisean** *passion*
3. **Léiriú réadúil ar an saol** *they contain a realistic view of the world*

*Compare this to the earlier courtly love poems which were insincere, ironic,
humorous and lacking any grounding in reality.*

Ar an taobh eile áfach, **tá cosúlachtaí le sonrú** maidir le téarmaíocht.

Go minic bíonn sí/sé dofhaighte. *She/he is unattainable.*

Galar is ea an grá. *Love is a disease.* Bíonn an file cráite (*tormented*). Ní féidir
leis codladh. Ní bhíonn sos i ndán dó ach an bás nó póg ón mbean álainn.
*His only hope for respite from his affliction is either death or a kiss from this
woman.* Ní bhíonn an file sásta an phian a fhulaingt áfach. Sna h-amhráin
ghrá bíonn an file lándáiríre. *The poet is not happy with his suffering in love
songs because his love is of a serious nature, while if you remember the courtly
love poets were happy to suffer because they were insincere.*

Samplaí *examples of this genre:*
A Ógánaigh an Chúil Cheangailte, Máirín de Barra.

Na haortha

Satires

Cumadh aortha sa tréimhse seo freisin i meadarachtaí an amhráin (1650 i leith).

Cúiseanna *reasons for their composition*:

Chum na filí aortha **ag cáineadh** tiarnaí talún.
To criticize or insult a landlord.

Chum na filí aortha ar ghnáthdhaoine a mhaslaigh an file nó aon duine nár thug an gradam cuí dó.
Satires were composed to insult anyone who had insulted the poet or anyone who had failed to show him respect.

Samplaí:

Vailintín Brún' le hAogán Ó Rathaille.

'Toighe Chorr an Chait' le Séamas Dall Mac Cuarta.

Na caointe

D'úsáid na filí gairmiúla meadaracht an amhráin chun caointe a chumadh ar dhuine marbh.
Professional poets used this genre and amhrán metre to compose a lament on a person's death.

Scríobhadh caointe i meadaracht aiceanta ar a dtugtar rosc.
Caointe are composed using a stressed metre called 'rosc'.

Caoineadh – ceithre bhéim sa líne.
Four stresses in a line.

Samplaí:

'Mo Ghille Mear' le Seán Clárach Mac Domhnaill.

Scríobhadh 'Caoineadh Airt Uí Laoire' le Eibhlín Dubh sa mheadaracht sin.
This lament for her husband, by Eibhlín Dubh, was composed in this metre.

An aisling pholaitiúil

Is i **gCúige Mumhan** den chuid is mó a scríobhadh na haislingí.
Generally composed in Munster.

Scríobhadh iad **san ochtú haois déag.**
They were written in the eighteenth century.

Tar éis Chath na Bóinne bhí na Gaeil go mór faoi smacht.
After the Battle of the Boyne the Gaelic Irish were without power and very subdued.

Léirítear **maoithneachas i leith na Stíobhardach.**
They had a sentimental attachment to the Stuarts.

Cruthaítear an dóchas go bhfuil na Stíobhardaigh ag filleadh go hÉirinn chun í a shaoradh.
A certain amount of hope was constructed around the return of the Stuarts to liberate the country.

Tagann Éire i **bhfoirm spéirmhná** le **teachtaireacht** don fhile.
Ireland comes to the poet as a vision of a woman with a message for him.

Glaoitear aisling fháthchiallach air.
This type of aisling is called an allegorical aisling.

Sampla:

'Mac an Cheannaí' le hAogán Ó Rathaille.

Faigheann an spéirbhean bás sa dán seo mar tá an rí Stíobhardach marbh cheana féin.
The visionary woman dies, as the Stuart king is already dead. Her death is a symbol for the death of the Stuart king and consequently the death of all hope.

Struchtúr aisling na Mumhan

1. Tagann spéirbhean chuig an bhfile.
A visionary woman comes to the poet in a vision.

2. Tá sí go hálainn.
Her great beauty is described.

3. Fiafraíonn sé di cé hí?
The poet asks her who she is?

An í Helen na Traí í, nó Deirdre?
Is she Helen of Troy or Deirdre of ancient Irish lore?

4. Freagraíonn sí
She replies Éire *that she is in fact Ireland.*

5. Tá a fear céile (Stíobhardach) i bhfad uaithi.
Her husband (the Stuart king) is separated from her.

6. Tá sé ag teacht ar ais agus beidh Éire saor.
She has returned to Ireland so that she might free the country from its captors.

Aisling Uladh

Ní luaitear na Stíobhardaigh ach **na Niallaigh.**
The Stuarts are not mentioned, instead the Ó Neills are mentioned.

Ba bheag an meas a bhí ag na hUltaigh orthu.
The Ulster people had little respect for them.

Tagann Éire **i bhfoirm sióige.**
Ireland appears in the form of a fairy.

Sampla:

Aisling Ultach 'Úirchill an Chreagáin' le Art Mac Cumhaidh (1738–73).
(This is an example of an Ulster Aisling)

Na Cúirteanna Filíochta

1. San ochtú haois déag thagadh na filí i gCúige Mumhan le chéile i dteach nó i dteach tábhairne **chun a gcuid filíochta a phlé.**
Munster poets came together to discuss their compositions.

2. Tugadh **'cúirteanna'** ar na cruinnithe.
These meetings were called courts.

3. D'úsáidtí **téarmaíocht an dlí** – 'sirriam'.
Terminology of the law was used – sherrif.

4. Ba é feidhm na gcúirteanna seo **an litríocht a chaomhnú.**
Its aim was to preserve literature at the time.

5. Bhí an córas pátrúnachta agus na bardscoileanna imithe.
System of patronage and the bardic schools were now gone.

Sampla:

Sliabh Luachra: attended by Aogán Ó Rathaille agus Eoghan Rua Ó Súilleabháin.

SECTION C
An Chluastuiscint

i. Some guidelines to help you to prepare for this question

- The Aural carries 100 marks out of the total 600 marks.
- The Aural exam usually lasts between 30 and 40 minutes.
- You must answer your questions in Irish.
- Pay particular attention to the instructions before each section.
- In Section A the *Fógraí* are only repeated **twice**.
- In Section B the *Comhrá* are repeated three times.
- Pay attention to the split between **An Chéad Mhír** and **An Dara Mír** in Section B.
- Each question in Section B refers to either **An Chéad Mhír** or **An Dara Mír**. They are not mixed up.
- In Section C, *Píosa 1,2,3* are repeated only **twice**.
- Use the gaps in time on the CD to read the questions and underline the key words. Don't waste this time.
- You don't need to give full sentence answers, but they must make sense.
- If you are not quite sure of the question, write down whatever you think the answer is. You could easily be correct.
- Competitions come up all the time on the Aural so be sure of the vocabulary regarding competitions. For example; **duais**–prize, **príomhdhuais**–main prize, **comórtas bliantúil**–annual competition, **táille iontrála**–entry fee, **foirmeacha iontrála/iarratais**–entry forms, **ag déanamh urraíochta ar chomórtas**–sponsoring a competition, **ag bronnadh na nduaiseanna**–presenting the prizes, **an dáta deireanach le haghaidh na n-iarratas**–last date for entries, **spriocdháta**–closing date/deadline.
- Advertisements for jobs come up frequently. Revise the vocabulary surrounding this area well. Many words for competitions apply here also m.sh. **spriocdháta**. Look out also for; **caighdeán maith**–a good standard of…, **scileanna ríomhaireachta**–computer skills,

taithí–experience, **iarratasóir**–entrant, **an té a cheapfar**–the chosen applicant, **ceadúnas glan tiomána**–clean driver's licence, **riachtanach**–obligatory, **raon tuarastail maith**–good salary scale, **cáilíochtaí**–qualifications.

- Place-names come up all the time. Revise the spelling of counties and main towns.

- You cannot learn all the place names, so listen very carefully and write down your best guess if you are unsure.

- However, avoid using the letters **Q** and **K** or **W** and **Y** in your guesses or anything else that does not resemble an Irish word.

- Names of schools often come up, so look out for; **meánscoil**–secondary school, **meánscoil na mBráithre Críostaí**–Christian Brothers' secondary school, **clochar**–convent, **pobalscoil**–community school, **coláiste pobail**–community college, **gairmscoil**–vocational school, **príomhoide, leasphríomhoide**–principal and vice-principal.

- Key news items for the past year can come up or events due to take place e.g. World Cup or Olympics. You need sporting vocabulary here.

- Listening to the news and weather on TG4 will certainly help you here with key vocabulary.

- Practice is the key to success in the Aural, so keep listening!

The Cluastuiscint section of this book covers the following:

1. General vocabulary lists of the counties and Gaeltacht areas and the questioning forms used on the exam papers.

2. **Aonad 1** of the recorded exercises focuses on speakers from Cúige Uladh as they can be confusing for anyone not used to listening to this dialect. The most common differences in vocabulary and pronunciation are covered. This is followed by a full length listening exercise concentrating on this dialect.

3. **Aonad 2** of the recorded exercises focus on the areas of work, study and exams as these come up very frequently. Vocabulary for these topics are covered to start with and these are followed by a full length listening exercise concentrating on these topics.

4. **Aonad 3** of the recorded exercises focus on the areas of competitions, programmes on radio and television, sport and crime as these come up very frequently. Vocabulary for these topics are covered to start with and these are followed by a full length listening exercise concentrating on these topics.

ii. Vocabulary

Vocabulary lists

Before you start on the listening exercises, have a look over the vocabulary lists. The counties, some of the towns and the main areas of the Gaeltacht are listed first as they come up frequently enough.

Gluais 1
Counties

Cúige Uladh

Dún na nGall: Na Rosa,
Leitir Ceanainn, Gaoth Dobhair,
Béal Átha Seanaidh

Doire

Aontroim: Béal Feirste

An Dún

Ard Mhacha

Fear Manach: Inis Ceithleann

Tír Eoghain

Muineachán

An Cabhán

Cúige Laighean

Lú: Droichead Átha,
Dún Dealgan

Baile Átha Cliath

An Mhí

Cill Mhantáin

Loch Garman

Ceatharlach

Cill Dara

Cill Chainnigh

Laois

Uíbh Fhailí

An Iarmhí

Longfort

Cúige Chonnacht

Gaillimh

Maigh Eo: Cathair na Mart

Sligeach

Ros Comáin

Liatroim

Cúige Mumhan

Port Láirge

Corcaigh

Ciarraí

Luimneach

An Clár

Tiobraid Árann

Gluais 2
The Gaeltacht

An Ghaeltacht

Doirí Beaga

Gaoth Dobhair

Gort an Choirce

Gaeltacht Chorca Dhuibhne
                [gwee-na]

An Rinn

Baile Bhúirne

Conamara: An Cheathrú Rua, Carna

An Spidéal

Ráth Cairn

Muintir na Gaeltachta

Lucht na Gaeilge: Irish speaking community

Údarás na Gaeltachta

Oireachtas na Gaeilge

Bord na Gaeilge

Comórtas Peile na Gaeltachta

Raidió na Gaeltachta

Gluais 3
Ceisteanna coitianta ó na páipéir scrúdaithe

These questions and variations of them cover the questions asked on the Cluastuiscint part of the exam for the past number of years. Look over them frequently as they are essential.

Cén fhéile? *What festival?*

Cén feachtas? *What campaign?*

Cén laige is mó…? *What is the biggest weakness?*

Cén tslí ar eagraíodh an comórtas seo? *How was the competition organised?*

Cén fáth? *Why?*

Cén áit? *Where?*

Cén t-ainm atá ar an eagraíocht? *What is the name of the organisation?*

Cén áit arb as don bheirt seo? *Where are the pair from?*

Cén áit ar rugadh…? *Where was… born?*

Cárbh as dóibh? *Where are they from?*

Cén teideal…? *What is the title of, name of…?*

Cén tuairim? *What opinion?*

Cén chaoi? *How?*

Cén t-éacht a rinne…? *What great deed did… do?*

Cén gaisce…? *What heroic deed did… do?*

Cén drochscéal? *What bad news?*

Cén fhírinne? *What truth?*

Cén tionchar? *What effect?*

Cén toradh? *What result?*

Cén tairiscint a thug Pól do Mháire? *What offer did he make?*

Cén dá rogha a mhol Pól di? *What two choices did he advise?*

Cén rud a luaitear faoin…? *What is mentioned about…?*

Cén locht a fhaigheann Pól? *What fault does he find?*

Cén saghas? Cén sórt? Cén cineál? *What kind, type, sort?*

Cén gradam a bronnadh air? *What award was he presented with?*

Cé a osclóidh…? *Who will open…?*

Cé a bheidh i mbun na n-imeachtaí? *Who will be in charge of events?*

Cé a bheidh i bhfeighil na n-imeachtaí? *Who will be in charge of events?*

Cé hiad? *Who are they?*

Cé a bhunaigh? *Who founded?*

Cé a bhronn? *Who presented?*

Cé a d'eisigh an tuairisc seo? *Who produced this report?*

Cé atá ag fógairt na scéime? *Who advertised this scheme?*

Cé chomh minic is a bhíonn…? *How often…?*

Cad a bheidh á léiriú? *What will be shown?*

Cad is aidhm don tionscnamh seo? *What is the purpose/aim of this project?*

Cad é aidhm an rialtais? *What is the aim of the government?*

Cad leis a mbaineann…? *What is it to do with, connected with?*

Cad chuige an t-airgead seo? *What is the money for?*

Cén bhaint atá ag…? *What is the connection between…?*

Cé dó na cláir nua seo? *Who are the new programmes for?*

Cén moladh atá á lorg? *What advice is being sought?*

Cén moladh atá ag Pól…? *What advice does Pól have for…?*

Cad a mhol Pól do Mháire a dhéanamh? *What does Pól advise her to do?*

Cén chomhairle atá ag Pól…? *What advice does Pól have for…?*

An mó? How many? *What amount?*

Cé mhéad? *How many? What amount?*

Cé mhéad is fiú na duaiseanna? *What are the prizes worth?*

Cén dá bhuntáiste…? *What two advantages…?*

Scríobh síos na míbhuntáistí. *Write down the disadvantages.*

Luaigh dhá chúis. *Mention two reasons.*

Breac síos dhá phointe eolais. *Write down two points.*

Luaigh cáilíocht amháin nár mhór a bheith ag na hiarrthóirí? *Mention two qualities which the candidates must have.*

Cá fhad a mhair…? *How long did it last…?*

Cá fhad atá…? *How long is…?*

Cé mhéad ama…? *How much time…?*

Cén chaoi? *How?*

Cad faoi? *About what?*

Cad a cheap…? *What did (he) think…?*

Cad a d'iarr Pól…? *What did Pól ask…?*

Conas a roinnfear…? *How will (they) be divided…?*

Conas a chuaigh (na fógraí) i bhfeidhm ar Phól? *How did the advertisements affect Pól?*

iii. Aonad 1

Canúint an Tuaiscirt

These are some of the phrases and pronunciations which may be used by speakers from Ulster on the CD. They can cause some confusion, especially on Cuid A and Cuid C when they are only played twice. Approximate pronunciations appear in square brackets.

Goidé mar a tá tú? [gu-jay] *How are you?*

Goidé a thig linn a dhéanamh? *What can we do?*

Goidé?/Cad é? *Used for; how…? and what…? frequently in conversation*

Tuige nach robh tú ann? *Why were you not there?*

Bomaite *A minute/a moment*

Amharc air sin [ark] *Look at that*

Achan duine [ach-an]/gach aon duine *Everyone*

Achan chuid den/gach aon chuid den *Every bit of*

Ó tchím anois é [tcheem] *I see now, I remember now*

Maith go leor ['my' go leor] *Okay*

A beag nó mór *At all*

Dhá *pronounced* [yá] *Two*

Ceithre [cay-yeh] *Four*

A seacht [a seart] *Seven*

A hocht [a heart] *Eight*

Deich [yeh] *Ten*

Galánta [gal-lan-ta] *Lovely*

Fosta *Also*

Ag pilleadh abhaile [ag filleadh abhaile] *Returning home*

'Cha' [ha] *used instead of 'Ní' for negatives*

Cha robh [ha row] *I wasn't*

Cha dtéim [ha jame] *I won't go*

Cha dtig liom [ha dig] *I can't*

Cha mbeidh *I won't*

Aonad 1

Cluastuiscint

Cuid A

Cloisfidh tú trí cinn d'fhógraí raidió sa chuid seo. Cloisfidh tú gach fógra <u>faoi dhó</u>.

Fógra 1

1a. Cad atá á lorg ag *Concern* i láthair na huaire?

1b. Mínigh an tubaiste atá ag bagairt ar an tír úd?

2a. Cad a tharla sa tír seo sa bhliain 1949?

2b. Cad is chúis leis na páirceanna a bheith scriosta?

3. Cén seoladh atá ag *Concern*?

Fógra 2

1. Cén lucht a bheidh ag obair ar an mótarbhealach?

2. Breac síos trí phointe eolais faoin obair seo.

    i.

    ii.

    iii.

3. Cén fáth a mbeidh an bóthar ag dúnadh?

Fógra 3

1a. Cé mhéad airgid atá sa duaischiste?

1b. Cé atá ag eagrú an chomórtais seo?

1c. Cén teideal atá ar an aiste?

2. Breac síos dhá phointe eolais eile faoin gcomórtas seo.

    i.

    ii.

3. Cad é an dáta deireanach do na hiarratais?

Cuid B

Cloisfidh tú trí cinn de chomhráite sa chuid seo. Cloisfidh tú gach comhrá díobh <u>trí huaire.</u>

Comhrá 1

<u>An chéad mhír</u>

1a. Cathain a bheidh an oíche cheoil ar siúl?

1b. Cárbh as don chlann atá luaite sa ghiota?

2. Breac síos dhá phointe eolais faoin timpiste.

  i.

  ii.

<u>An dara mír</u>

1. Cathain a bheidh an fear óg ag teacht abhaile ón ospidéal?

2. Cén fáth go bhfuil an-chuid oibre le déanamh sa teach, dar le Barra?

3. Cad a bheidh ar siúl ag an mbeirt acu roimh an oíche cheoil?

Comhrá 2

<u>An chéad mhír</u>

1. Cá mbeidh siad ag dul oíche Dé hAoine?

2. Ní raibh Ciara cinnte faoin oíche ar dtús. Cén fáth?

3. Cén sórt scannán nach dtaitníonn léi?

<u>An dara mír</u>

1. Luann Seosamh dhá scannán mar rogha. Breac síos dhá phointe eolais fúthu.

  i.

  ii.

2. Cén t-am a mbuailfidh siad lena chéile?

Comhrá 3

<u>An chéad mhír</u>

1. Breac síos dhá phointe eolais faoin obair bhaile a fuair siad.

    i.

    ii.

2a. Cén t-ainm atá ar an eagraíocht a bhunaigh an duine úd a phioc Dónall?

2b. Cathain a bhunaigh sí an eagraíocht?

<u>An dara mír</u>

1. Breac síos dhá phointe eolais eile faoin duine seo.

    i.

    ii.

2. Cén gradam a bronnadh ar an duine a phioc Deirdre don aiste?

Cuid C

Cloisfidh tú trí cinn de phíosaí nuachta raidió/teilifíse sa chuid seo. Cloisfidh tú gach píosa díobh <u>faoi dhó</u>.

Píosa 1

1. Cá raibh an taispeántas ar siúl? Cé a d'oscail é?

    Breac síos dhá phointe eolais faoin gcailín a bhuaigh an comórtas seo.

    i.

    ii.

Píosa 2

1. Cén aois a bhí ag an déagóir a bhí os comhair na cúirte inné?

2. Cathain a tharla an ghadaíocht seo?

3. Luaigh rud amháin a ghoid an déagóir seo.

    i.

Píosa 3

1. Cén contae atá luaite sa ghiota?

2. Cén dream daoine a chlúdaigh an suirbhé seo?

3. Cén dream daoine is mó a bhíonn ciontach i dtimpistí arb é an luas géar is cúis leo?

Aonad 1

Cuid A

Fógra 1

Seo fógra ó *Concern*. Tá *Concern* ag lorg cúnamh airgid don obair atá ar siúl acu i Malawi i láthair na huaire. Tír bheag is ea Malawi i lár na hAfraice. Tá gorta ag bagairt na tíre sin anois agus tá trí mhilliún duine ag fulaingt go géar ón ocras. Seo an gorta is measa a tharla sa tír ón bhliain 1949. Tá na barraí sna páirceanna scriosta de bharr na dtuilte agus an bháisteach agus an baol láidir ann nach bhfuil an ghéarchéim ach ina tús. Is féidir airgead a sheoladh chuig *Concern*, Sráid Chamden, Baile Átha Cliath 2.

Fógra 2

Seo fógra ó Bhardas Átha Cliath. Beidh an chuid den mhótarbhealach idir Seantraibh agus an Chúlóg ar an M1 dúnta idir a naoi a chlog oíche Dé hAoine an naoú lá de mhí Lúnasa agus a seacht a chlog maidin Dé Luain an dara lá déag de mhí Lúnasa. Dúnfar an bóthar ar mhaithe le hobair riachtanach atá le déanamh ar thollán caladh Átha Cliath. Ní mór don Bhardas a leithscéal a ghabháil i dtaobh na trioblóide seo.

Fógra 3

Seo fógra faoi dhuais míle euro atá á tairiscint ag Bord na Gaeilge ar aiste dar teideal 'Polaitíocht agus an t-aos óg'. Sheol an tAire Oideachais agus Eolaíochta an comórtas Dé hAoine seo caite in Óstán an Merrion i mBaile Átha Cliath. Aiste dhá mhíle focal a theastaíonn nár foilsíodh riamh. Fáilteofar roimh iarratais ó dhaoine óga idir cúig bliana déag d'aois agus ocht mbliana déag d'aois. Ba cheart na hiarratais a chlóscríobh agus iad a chur chuig Bord na Gaeilge roimh an aonú lá is tríocha de mhí na Bealtaine.

Cuid B

Comhrá 1

Barra: Ar chuala tú faoin oíche cheoil a bheidh ar siúl in Óstán na Páirce oíche Dé Sathairn, a Nóra?

Nóra: Chuala, cinnte, a Bharra. Is ar mhaithe le clann ón gClochán Liath an oíche go léir. Tharla timpiste uafásach don mhac is sine nuair a bhí sé ag imirt rugbaí i Sasana dhá mhí ó shin. Bhí sé ag staidéar in Ollscoil i Learpholl. Gortaíodh a dhroim go dona agus tógadh ar ais abhaile é.

Barra: Go bhfóire Dia orainn! Conas mar atá sé anois?

Nóra: Tá sé san ospidéal fós ach tá súil acu go mbeidh sé ag teacht abhaile go luath. Tá go leor le déanamh sa teach, áfach. Beidh sé i gcathaoir rotha agus tá an-chuid oibre le déanamh sa teach mar sin. Sin an fáth go bhfuil an oíche cheoil eagraithe don Satharn.

Barra: Tá an-bhrón orm é sin a chloisteáil. An mbeidh tú ag dul oíche Dé Sathairn ar aon nós?

Nóra: Beidh cinnte!

Barra: An dtiocfaidh tú liom? Is féidir béile a fháil sa bhialann roimh ré.

Nóra: *Date*, an ea? An mbeimid ag dul amach ar *date*?

Barra: Ó, a Nóra, ná bí ag cur náire orm! An dtiocfaidh tú liom?

Nóra: Tiocfaidh cinnte. Ní raibh mé ach ag magadh fút!

Comhrá 2

Seosamh: A Chiara, tá scata againn ag dul go dtí an phictiúrlann Dé hAoine chun scannán a fheiceáil. An dtiocfaidh tú linn?

Ciara: Bhuel braitheann sé ar an scannán atá i gceist agat. Ní raibh mé ró-shásta leis an gceann a chonaiceamar coicís ó shin!

Seosamh: Ó…! Is cuimhin liom é anois. Ba é sin an scannán ina raibh an dúnmharfóir. Bhí eagla an domhain ort, nach raibh?

Ciara: Bhí eagla orm ach ní hé sin an rud is measa faoi! Táim bréan de scannáin mar sin. Ní fheiceann tú rud ar bith seachas gunnaí agus fuil, foréigean agus buamaí. B'fhearr liomsa go mór scannáin ghrinn nó scannáin rómánsacha…

Seosamh: Tá tú ag dul in aois mar sin, a Chiara! Ní dóigh liom go mbeidh tú ag teacht ar an Aoine.

Ciara:	Cén fáth?
Seosamh:	Bhuel nílimid cinnte fós faoin scannán. Tá beirt againn ag iarraidh an scannán nua *Star Wars* a fheiceáil agus bhí Barra Ó Domhnaill ag caint faoi scannán eile, ceann ina bhfuil dúnmharfóir, fuil agus gunnaí…!
Ciara:	Barra Ó Domhnaill! Amadán amach is amach is ea é! *Star Wars*… bhuel ní maith liom scannáin fhicsean-eolaíochta de ghnáth ach bhí an ceann deireanach measartha maith.
Seosamh:	Bhuel, an dtiocfaidh tú mar sin?
Ciara:	Tiocfaidh mé cinnte. Buailfidh mé leat ag a seacht.
Seosamh:	Iontach. Slán.
Ciara:	Slán agat go fóill.

Comhrá 3

Dónall:	Heileo!
Deirdre:	Heileo, a Dhónaill. Deirdre anseo. Ba mhaith liom labhairt leat ar feadh bomaite faoin aiste sin atá againn don Aoine.
Dónall:	Tuigim anois. An aiste sin 'Éireannach cáiliúil a bhfuil meas agam air nó uirthi' a fuaireamar sa rang Gaeilge. Chaith mé an lá ar fad ag smaoineamh air. Ní raibh mé in ann teacht ar aon duine, ach bhí mé ag caint le m'athair agus thug sé nod dom. Anois táim ag scríobh aiste faoi Adi Roche, an bhean sin a chuir tús leis an *Chernobyl Children's Project* sa bhliain 1991.
Deirdre:	An-smaoineamh go deo! Beidh go leor le scríobh agat. Is féidir leat a lán a rá faoi na cuairteanna a thug sí ar an Úcráin agus an chaoi ar chabhraigh sí leis na mílte páiste a bhí thíos le tinneas i ndiaidh an phléasctha uafásaigh sin a tharla sa stáisiún núicléach i Chernobyl sa bhliain 1986.
Dónall:	Sin é go díreach. An bhfuil a fhios agat go bhfuair sí an gradam, 'Eorpach na Bliana', deich mbliana ina dhiaidh sin mar gheall ar an obair iontach a rinne sí ar mhaithe leis na páistí bochta san áit sin?
Deirdre:	Is maith is cuimhin liom an gradam sin. Tá an-mheas agam uirthi, caithfidh mé a rá. Níor éirigh léi post mar Uachtarán na hÉireann a fháil nuair a d'imigh Máire Bean Mhic Róibín, áfach.
Dónall:	Níor éirigh, cinnte, ach ceapaim go bhfuil géarghá léi fós san obair atá ar siúl aici faoi láthair agus sin an post is fearr di mar

sin. Ach céard fútsa? An bhfuil tuairim ar bith agat féin maidir le d'aiste féin?

Deirdre: Ceapaim go bhfuil. D'fhéadfainn píosa a scríobh ar John Hume agus an sár-obair atá déanta aige ar mhaithe le síocháin a fháil sa Tuaisceart thar na blianta. Bhuaigh sé Duais Nobel na Síochána le David Trimble sa bhliain 1998.

Dónall: An-smaoineamh go deo! Beidh go leor le scríobh agat ar an bhfear iontach sin. Go n-éirí leat!

Deirdre: Slán, a Dhónaill!

Dónall: Slán agat go fóill.

Cuid C

Píosa 1

D'oscail an Taoiseach, Bertie Ahern, Taispeántas Eolaithe Óga go hoifigiúil oíche aréir san R.D.S. Bhí an caighdeán an-ard i mbliana, a dúirt sé nuair a bhí sé ag bronnadh na nduaiseanna. Bhuaigh cailín, seacht mbliana déag d'aois as Leitir Ceanainn, Dún na nGall, an chéad duais. Rinne sí tionscadal ar an timpeallacht i gceantar Leitir Ceanainn. Fuair sí bonn óir agus seic míle go leith euro. Beidh turas aici níos déanaí sa bhliain freisin nuair a théann sí go Comórtas Eolaíochta na hEorpa, san Iodáil, le bheith páirteach ar son na hÉireann.

Píosa 2

Tugadh déagóir seacht mbliana déag d'aois, os comhair na cúirte i Sord inné mar gheall ar airgead agus seodra a bheith ina sheilbh aige. Dúirt Garda sa chúirt go bhfaca comharsa béal dorais é ag teitheadh thar chlaí sa chúl- ghairdín, oíche Dé Sathairn dhá mhí ó shin. Bhí muintir an tí ar laethanta saoire ag an am. Ghoid sé trí chéad euro agus seodra de luach míle euro ón teach. Rugadh air an lá dár gcionn. Déagóir áitiúil is ea é agus bhí aithne ag na Gardaí air cheana féin. Ghearr an breitheamh pionós dhá chéad euro air agus fiche uair ag obair ar son an bhaile.

Píosa 3

Rinne an tÚdarás Náisiúnta um Bhóithre dhá shuirbhé le déanaí agus léiríonn an suirbhé go dtarlaíonn níos mó timpistí bóthair ina maraítear daoine, i nDún na nGall ná in aon áit eile sa tír seo. Bunaíodh an suirbhé a rinneadh idir na blianta 1996 go 2000, ar dhaoine idir seacht mbliana déag d'aois agus ceithre bliana is fiche d'aois. De réir an tsuirbhé, fir óga ab ea 89% de na daoine a maraíodh ar bhóithre na tíre sa bhliain 1997 agus go raibh na figiúirí sin ag dul in olcas in aghaidh na bliana. Is léir ón suirbhé gurb iad daoine fásta is mó a bhíonn ciontach i dtimpistí arb é an t-ólachán is cúis leo ach daoine óga is mó a bhíonn páirteach i dtimpistí arb é an luas géar is cúis leo.

Gluais

Ag lorg cúnamh airgid *Looking for financial support*

Gorta *Famine*

Ag bagairt *Threatening*

Ag fulaingt go géar ón ocras *Suffering badly from hunger*

Scriosta de bharr na tuilte agus an bháisteach *Destroyed by floods and rain*

An ghéarchéim *Urgent need/crisis*

Obair riachtanach *Essential work*

Bardas Átha Cliath *Dublin Corporation*

Ar mhaithe le hobair riachtanach *Due to essential work*

Tollán caladh Átha Cliath *Dublin Port Tunnel*

Leithscéal a ghabháil i dtaobh na trioblóide *Apologise for the disruption*

Atá á tairiscint *Being offered*

Nár foilsíodh riamh *Not previously published*

Braitheann sé *It depends*

Dúnmharfóir *Murderer*

Bréan de *Fed up with*

Seachas *Except for*

Fuil *Blood*

Foréigean *Violence*

Buamaí *Bombs*

Scannáin fhicsean-eolaíochta *Science fiction films*

Bunaíodh… sa bhliain 1991 … *was founded in the year 1991*

Taispeántas Eolaithe Óga *Young Scientists Exhibition*

Caighdeán *Standard*

Ag bronnadh na nduaiseanna *Presenting the prizes*

Tionscadal *A project*

Ina sheilbh aige *In his possession*

Ag teitheadh *Fleeing*

Ghearr an breitheamh pionós *The judge sentenced (him)*

An tÚdarás Náisiúnta um Bhóithre *National Roads Authority*

Luas géar *Speed*

iv. Aonad 2

Poist/Scoil/Oideachas/Scrúduithe/CAO

This section focuses on the areas of work, study and exams as these come up very frequently. Vocabulary for these topics are covered to start with and these are followed by a full length listening exercise concentrating on these topics.

Drochscéal *Bad news*

Dea-scéal *Good news*

Post buan *A permanent job*

Folúntas le líonadh *A vacancy to be filled*

Agallamh *An interview*

Litir mholta *Letter of recommendation*

An té a cheapfar *The chosen applicant*

Níor mhór do na hiarrthóirí *The applicants must*

Líofa *Fluent*

Le meon tuisceanach *An understanding nature*

Ceadúnas tiomána *Driver's licence*

Tuarastal maith *A good salary*

Lóistín *Accommodation*

Oiriúnach *Suitable*

Mar tháille *A fee*

Foirm iarratais *Entry form*

Cúram *Responsibility*

Rúnaí *A secretary*

Scileanna rúnaíochta *Secretarial skills*

Ardchumas *A high degree of ability/skill*

Pearsantacht thaitneamhach *Pleasant personality*

Dáta deireanach iontrála *Last date for entry*

Spriocdháta *Closing date/deadline*

An tuarascáil *The report*

Scileanna ríomhaireachta/taithí ar ríomhairí *Computer skills/experience of computers*

Iarratasóirí/iarrthóirí *Entrants/applicants*

Litir iarratais roimh an (spriocdháta) *Letter of application before (date)*

Dhá phost atá le líonadh *Two posts to be filled*

Caithfidh caighdeán ard Gaeilge *High standard of Irish*

Cáilíocht iriseoireachta *Qualification in journalism*

Taithí dhá bhliain ar a laghad *At least two years experience*

De thaithí shásúil *Of suitable experience*

Fáilteofar roimh iarratais *Applications are welcome*

Ba cheart na hiarratais a chlóscríobh *Applications should be typed*

Más spéis leat na poist seo, seol d'iarratas chuig *If interested, send application to*

Tá rúnaí á lorg acu *They are looking for a secretary*

An Bainisteoir Pearsanra *Personnel manager*

Dáta deireanach iontrála *Last date for entry*

Eolas breise *Extra information*

Comhlacht *A company*

Monarcha ag dúnadh síos *A factory closing down*

Daoine ag cailliúint a gcuid postanna *People losing their jobs*

Ag bogadh go tíortha eile *Moving to other countries*

Infheistithe *Invested*

Cathaoirleach *Chairperson*

Na fostaithe *The employees*

Na torthaí *Results*

Céim *Degree*

Teastas *Certificate/diploma*

Dioplóma *Diploma*

Ag staidéar *Studying*

An córas measúnaithe *Continuous assessment*

Na buntáistí agus na míbhuntáistí atá ag baint le scrúduithe *Advantages and disadvantages of exams*

Cinnte go dteipfinn *Sure I would fail*

Na tairiscintí ón CAO *The offers from CAO*

Bunmhúinteoireacht *Primary teaching*

Ag freastal *Attending*

Cráite *Tormented*

Aitheantas *Recognition*

Cén chéad rogha atá agat ar d'fhoirm? *What is your first choice?*

Daltaí iarbhunscoile *Post-primary students*

An tAire Oideachais agus Eolaíochta *Minister for Education and Science*

Institiúidí tríú leibhéal na tíre:

Coláiste Oiliúna *Training college*

Coláiste na Tríonóide *Trinity College Dublin (TCD)*

Coláiste Phádraig *St Patrick's College*

Ollscoil na hÉireann, Maigh Nuad *N.U.I, Maynooth*

Ollscoil Luimnigh *University of Limerick (UL)*

Ollscoil Chathair Bhaile Átha Cliath *Dublin City University (DCU)*

Coláiste na hOllscoile Corcaigh *University College Cork (UCC)*

Coláiste na hOllscoile, Gaillimh *University College Galway (UCG)*

Coláiste na hOllscoile, Baile Átha Cliath *University College Dublin (UCD)*

Ollscoil na Banríona *Queens University Belfast (QUB)*

Ollscoil Uladh *University of Ulster*

Aonad 2

Cluastuiscint

Cuid A

Fógra 1

1a. Cén eagraíocht atá luaite san fhógra seo?

1b. Cén folúntas atá le líonadh?

1c. Cá mbeidh an té a cheapfar ag obair?

2. Breac síos dhá cháilíocht nár mhór a bheith ag na hiarrthóirí.

    i.

    ii.

3. Cad é an dáta deireanach do na hiarratais?

Fógra 2

1a. Cé mhéad folúntas atá le líonadh?

1b. Luaigh rud amháin a bheidh mar chúram ar na daoine a gheobhaidh na poist.

2. Luaigh dhá cháilíocht nár mhór a bheith ag na hiarrthóirí.

    i.

    ii.

3. Cén spriocdháta atá ann do na hiarratais?

Fógra 3

1. Cén cúram atá ar Bhord na Gaeilge?

2. Luaigh dhá cháilíocht nár mhór a bheith ag na hiarrthóirí.

    i.

    ii.

3a. Cén seoladh is ceart a chur ar chlúdach iarratais?

3b. Cén spriocdháta atá ann do na hiarratais?

Cuid B

Comhrá 1

Cloisfidh tú trí cinn de chomhráite sa chuid seo. Cloisfidh tú gach comhrá díobh <u>trí huaire</u>.

<u>An chéad mhír</u>

1a. Cathain a fuair siad an aiste seo mar obair bhaile?

1b. Cad leis a mbaineann an aiste?

2. Cén moladh atá ag Pól do Shíle chun an aiste sin a dhéanamh?

<u>An dara mír</u>

1. Breac síos dhá phointe atá acu don aiste.

    i.

    ii.

2. Cá mbeidh Síle ag dul ar ball?

Comhrá 2

<u>An chéad mhír</u>

1. Cén t-ábhar cainte atá ag Sorcha agus Fiachra?

2. Luann Sorcha go raibh imní agus gliondar uirthi. Cén fáth?

3a. Cén grád a fuair Sorcha sa Bhéarla?

3b. Cén grád a fuair sí sa Mhatamaitic?

3c. Bhí sí lánsásta leis an ngrád sin. Cén fáth?

<u>An dara mír</u>

1a. Ainmnigh ábhar amháin a bhfuair Fiachra <u>B1</u> ann?

1b. Cén grád a fuair sé sa Líníocht?

2. Cad atá le teacht amach ar an Aoine, dar le Fiachra?

3a. Cén chéad rogha a bhí ag Fiachra ar a fhoirm?

3b. Cén chéad rogha atá scríofa ag Sorcha ar a foirm?

Comhrá 3

An chéad mhír

1. Cén chéad rogha a bhí ag Sinéad ar a foirm?
2. Breac síos dhá phointe eolais atá sna nuachtáin gach uile lá anois, dar le Sinéad.

    i.

    ii.

An dara mír

1. Breac síos dhá phointe eolais faoin gcúrsa atá roghnaithe ag Sinéad.

    i.

    ii.

2. Déan cur síos ar an bplean atá leagtha amach ag Fiachra don todhchaí. Is leor dhá phointe.

Cuid C

Cloisfidh tú trí cinn de phíosaí nuachta raidió/teilifíse sa chuid seo. Cloisfidh tú gach píosa díobh <u>faoi dhó</u>.

Píosa 1

1. Cé na comórtais a luaitear sa phíosa?
2. Cé mhéad cluiche a imrítear thar an deireadh seachtaine ar fad?
3. Cé a bhuaigh comórtas peile na mban?
4. Cén dream a bhí ag déanamh urraíochta ar an ócáid?

Píosa 2

1a. Cén cineál comórtais atá i gceist anseo?

1b. Cén bhaint atá ag Bord na Gaeilge leis an gcomórtas?

2. Breac síos dhá phointe eolais eile faoin gcomórtas seo.

    i.

    ii.

Píosa 3

1a. Cad atá á cheiliúradh ag *Raidió na Gaeltachta (RnaG)* i mbliana?

1b. Cad iad na rudaí atá á n-eagrú ar fud na tíre dá bharr?

2. Breac síos trí phointe eolais faoin gcineál clár a bhíonn á chraoladh ar *RnaG*.

    i.

    ii.

    iii.

Aonad 2

Cuid A

Fógra 1

Seo fógra ó Bhord Fáilte. Tá fáilteoir ag teastáil uathu le haghaidh ionad nua turasóireachta atá á oscailt acu i gCúil Aodha, Contae Chorcaí. Ní mór ard-chumas sa Ghaeilge agus sa Bhéarla a bheith ag an té a cheapfar chomh maith le teanga amháin eile. Caithfidh go bhfuil scileanna rúnaíochta, taithí ar ríomhairí agus pearsantacht thaitneamhach ag na hiarratasóirí chomh maith. Má tá spéis agat sa phost seo, cuir do litir iarratais roimh an fichiú lá d'Iúil go dtí an Bainisteoir Pearsanra, Bord Fáilte, Baile Átha Cliath 2.

Fógra 2

Seo fógra faoi dhá phost atá le líonadh sa nuachtán *Foinse*, príomh-nuachtán náisiúnta na Gaeilge. Iriseoirí atá uathu, duine le bheith ag dul timpeall an Iarthair ag bailiú scéalta agus an duine eile le bheith lonnaithe san Oirthear. Caithfidh caighdeán ard Gaeilge a bheith ag achan iarratasóir chomh maith le cáilíocht iriseoireachta agus taithí dhá bhliain ar a laghad ag obair ar fhoilseacháin éagsúla. Bheadh scileanna ríomhaireachta mar bhuntáiste mór chomh maith. Más spéis leat na poist seo, seol d'iarratas chuig *Foinse*, An Cheathrú Rua, Co na Gaillimhe, roimh an séú lá de mhí Eanáir.

Fógra 3

Seo fógra ó Bhord na Gaeilge, an bord stáit a bhfuil sé de chúram air úsáid na Gaeilge a neartú agus a leathnú i measc an phobail ar fud na tíre. Tá rúnaí á lorg acu. Caithfidh caighdeán ard Gaeilge a bheith ag an té a cheapfar chomh maith le hardchumas sa Bhéarla. Ní mór scileanna ríomhaireachta agus rúnaíochta a bheith ag an iarratasóir chomh maith le pearsantacht thaitneamhach freisin. Má tá spéis agat sa phost seo, seol d'iarratas chuig: An Bainisteoir Pearsanra, Bord na Gaeilge, Baile Átha Cliath 2. Dáta deireanach iontrála; an t-aonú lá is fiche d'Aibreán.

Cuid B

Comhrá 1

Pól: Heileo

Síle: Heileo, a Phóil, Síle anseo. Táim i bponc leis an diabhal aiste a fuaireamar sa rang Gaeilge inné. An cuimhin leat: 'Scrúduithe agus an scoláire sa lá atá inniu ann'. In ainm Dé, cad atá le scríobh agat ar an ábhar sin?

Pól: Bhuel, nach bhfuil go leor ar eolas agat ar an ábhar sin cheana féin? Cad atá ar siúl agat ar scoil i mbliana?

Síle: Scrúdú na hArdteistiméireachta!

Pól: Sin é é! Tá na pointí go léir ar eolas agat cheana féin. Caithfidh tú iad a chur le chéile, áfach.

Síle: Conas is féidir liom é sin a dhéanamh?

Pól: Bhuel, ar an gcéad dul síos, leag síos na buntáistí agus na míbhuntáistí atá ag baint le scrúduithe dar leat féin.

Síle: An-smaoineamh go deo!

Pól: Ansin, d'fhéadfá comparáid a dhéanamh idir an gcóras measúnaithe agus scrúduithe. Cé acu ab fhearr? An dóigh leat go mbíonn an córas sin níos fearr ná scrúduithe, nó an mbeadh an dá rud le chéile níos fearr?

Síle: Maith thú, a Phóil!

Pól: Tá go leor le scríobh ar an ábhar sin mar tá na bunphointí ar eolas agat cheana féin.

Síle: Tá an ceart agat. An bhfuil an aiste déanta agat?

Pól: Níl, go fóill, ach bhí mé díreach chun í a dhéanamh nuair a chuir tú glaoch orm! Cogar! An dtiocfaidh tú timpeall agus is féidir í a dhéanamh le chéile anseo?

Síle: Go breá ar fad, a Phóil. Beidh mé ann ar ball. Slán!

Comhrá 2

Fiachra: Bhuel, a Shorcha, an raibh tú sásta leis na torthaí a fuair tú san Ardteist?

Sorcha: Ar m'anam, bhí mé lánsásta leo. Bhí imní an domhain orm nuair a bhí mé ag oscailt na litreach ach bhí gliondar orm nuair a léigh mé iad!

Fiachra: Cinnte, tá a fhios agam! Bhí mé féin ag crith le heagla á hoscailt! Cad a fuair tú ar aon nós?

Sorcha: B1 sa Bhéarla, A2 sa Ghaeilge, B3 sa Fhraincis, A2 sa Stair, C1 sa Bhitheolaíocht agus san Fhisic agus C3 sa Mhatamaitic. Bhí mé lánsásta leis an Mhatamaitic. Bhí mé cinnte go dteipfeadh orm san ábhar sin.

Fiachra: Ba chóir go mbeifeá iontach sásta leis na torthaí sin. Bhí siad ar fheabhas. Maith thú!

Sorcha: Ó, go raibh míle maith agat. Céard fútsa? Cad a fuair tú?

Fiachra: A2 san Ealaín agus sa Stair, B1 sa Bhéarla agus sa Ghaeilge, B3 sa Ghearmáinis agus C1 sa Mhatamaitic agus sa Líníocht. Táim thar a bheith sásta leo.

Sorcha: Ba chóir go mbeadh! Cad atá ar intinn agat anois?

Fiachra: Táim ag fanacht ar na tairiscintí ón CAO anois. Beidh siad ag teacht amach ar an Aoine.

Sorcha: Tá a fhios agam. Tá mise ag fanacht orthu freisin. Cén chéad rogha atá agat ar d'fhoirm?

Fiachra: Stair agus Stair na hEalaíne i gColáiste na Tríonóide. Céard fútsa?

Sorcha: Bunmhúinteoireacht i gColáiste Phádraig.

Fiachra: Bhuel, go n-éirí leis an bheirt againn ar an Aoine mar sin!

Comhrá 3

Fiachra: A Shinéad? An bhfuil an fhoirm CAO déanta agat go fóill?

Sinéad: Tá muise. Rinne mé é inné.

Fiachra: Cén chéad rogha atá agat ar d'fhoirm?

Sinéad: Ríomhaireacht, Fraincis agus Cúrsaí Gnó a dhéanamh in Ollscoil Chathair Bhaile Átha Cliath.

Fiachra: Agus an dóigh leat go mbeidh sé éasca duit post a fháil leis an gcéim sin?

Sinéad:	Bhuel ní dóigh liom go mbeidh aon rud éasca na laethanta seo. Cúpla bliain ó shin, b'fhéidir, ach tá cuma nua ar an scéal anois. Gach uile lá léim scéal eile sna nuachtáin faoi chomhlacht éigin ag imeacht nó monarchana ag dúnadh síos agus daoine ag cailliúint a gcuid postanna.
Fiachra:	Cén fáth mar sin go bhfuil tú chun ceithre bliana ar a laghad a chaitheamh ag staidéar agus fós éiginnte faoin todhchaí?
Sinéad:	Bhuel clúdaíonn an chéim seo réimse fairsing ábhar. Ar a laghad beidh teanga eile agam. Beidh mé in ann rud éigin a fháil, táim cinnte. Céard fútsa?
Fiachra:	Bhuel, mar is eol duit, ní maith liomsa obair na scoile ar chor ar bith, mar sin ní bheidh mé ag líonadh isteach foirm CAO. Tá comhlacht tógála ag m'uncail agus beidh mé ag dul ag obair leis. Beidh mé breá compordach ansin – airgead agam ón tús agus gan na laethanta á gcaitheamh agam mar scoláire beo bocht!
Sinéad:	Bhuel, ní lia duine ná tuairim, mar a deir an seanfhocal! Is féidir leat do rogha rud a dhéanamh. Ní fios dúinn cad atá i ndán dúinn!
Fiachra:	Sin í an fhírinne ghlan!

Cuid C

Píosa 1

B'ócáid thar a bheith taitneamhach Comórtas Peile na Gaeltachta i mbliana in ainneoin na droch-aimsire a mhair i rith an deireadh seachtaine. Cumann Peile Naomh Anna, Leitir Móir a d'eagraigh an comórtas i mbliana agus d'éirigh thar cionn leo. Imríodh fiche cluiche thar an deireadh seachtaine ar fad ar an bpáirc bhreá. Bhuaigh Gaoth Dobhair an comórtas sinsearach, Béal Átha an Ghaorthaidh na sóisirigh agus ba iad na mná ó Chonamara a bhuaigh peil na mban. Comhlacht O2 a bhí mar phríomhurra an chomórtais.

Píosa 2

Beidh Bord na Gaeilge ag déanamh urraíochta ar chomórtas nua díospóireachta i mbliana do dhaltaí iarbhunscoile. Sheol an tAire Oideachais agus Eolaíochta an comórtas nua seo an Aoine seo caite in Óstán Shelbourne, Baile Átha Cliath. 'An Ghaeilge- ar aghaidh nó ar chúl?' an t-ainm atá ar an gcomórtas seo. Triúr a bheidh ar gach aon fhoireann agus is féidir foirmeacha a fháil ó Bhord na Gaeilge anois. Duaiseanna iontacha atá ar fáil don fhoireann is fearr.

Píosa 3

Tá Raidió na Gaeltachta tríocha bliain ar a bhonnaibh i mbliana agus tá cruinnithe agus ócáidí éagsúla á n-eagrú ar fud na tíre dá bharr. Thar na blianta, tá freastal nach beag déanta ag an raidió ar mhuintir na Gaeltachta agus lucht na Gaeilge ar fud na tíre. Nuacht an lae, náisiúnta agus idirnáisiúnta a bhíonn ar siúl ar an stáisiún ach is í an nuacht áitiúil is mó a thaitin leis an lucht éisteachta chomh maith leis an amhránaíocht agus an ceol traidisiúnta a bhíonn á chraoladh ó mhaidin go faoithin, ó thuaidh agus ó dheas.

Gluais

Comórtas Peile na Gaeltachta *Gaeltacht football competition*

A d'eagraigh an comórtas *Who organised the competition*

I mbliana *This year*

Bhuaigh siad *They won*

An comórtas sinsearach *The seniors*

Raidió na Gaeltachta *Raidió na Gaeltachta*

Ar a bhonnaibh *On the air (in existence)*

Tá cruinnithe agus ócáidí éagsúla á n-eagrú *Meetings and events are being planned*

Nuacht an lae, náisiúnta, idirnáisiúnta agus an nuacht áitiúil *Daily, national, international and local news*

Amhránaíocht agus an ceol traidisiúnta *Singing and traditional music*

Seiteanna agus seisiúin cheoil *Music sessions*

A bhíonn á chraoladh *They broadcast*

---

v. Aonad 3

Comórtais/Na Meáin Chumarsáide/Spórt/Tubaiste/ Coiriúlacht

Comórtais/Na Meáin Chumarsáide

TG4, Baile na hAbhann, Contae na Gaillimhe (seoladh TG4) *TG4 address*

An lucht éisteachta/lucht féachana *Listeners/viewers*

Á chraoladh *Being broadcast*

Táthar ag glacadh le hiarratais anois *Applications are now being accepted*

Láithreoir *A presenter*

Clár nua do dhaoine óga *A new programme for young people*

Sraith nua den chomórtas *A new series of the competition*

Tráth na gCeist *A quiz programme*

A bhí mar phríomhurra an chomórtais *Main sponsor*

Ag déanamh urraíochta ar *Sponsoring*

Comórtas nua díospóireachta *New debating competition*

Ag déanamh urraíochta ar an bpríomhdhuais *Sponsoring the main prize*

Duaiseanna iontacha atá ar fáil *Great prizes to be won*

Don fhoireann is fearr *For the best team*

Duaischiste de luach cúig mhíle euro *A prize fund worth five thousand euro*

A bheidh mar phríomhdhuais *The main prize*

Atá á tairiscint ag *Being offered by*

Nár foilsíodh riamh *Not previously published*

Comórtas bliantúil *Annual competition*

Caighdeán na hiomaíochta *Standard of competition*

Ag bronnadh na nduaiseanna *Presenting the prizes*

Le bronnadh *To be presented*

Tionscadal *A project*

Na sonraí faoin gcumann *Details of club*

A sheoladh chuig *To be sent to*

Na treoirlínte ar fáil ó *Guidelines*

Foirmeacha iontrála le fáil ó *Entry forms available from*

Is ar mhaithe le *In aid of*

A d'eagraigh an comórtas *Who organised the competition*

I mbliana *This year*

Spórt

Bhuaigh siad *They won*

Bonn óir *Gold medal*

Bonn airgid *Silver medal*

Bonn cré-umha *Bronze*

Corn *A cup*

Bratach *A flag*

Taobhlíne *Side line*

Cic saor *Free kick*

Calaois *A foul*

An cárta dearg/an cárta buí *Red/yellow card*

Réiteoir *Referee*

Imreoir *A player*

Lúthchleasaíocht *Athletics*

Reathaí *A runner*

Coiriúlacht

An ráta coiriúlachta *Crime rate*

Líon na gcoireanna *Amount of crimes*

Fonn troda orthu de bharr meisciúlachta *Looking for a fight because of drink*

A fhiosrú *To investigate*

Téarma príosúin *Prison sentence*

Dream *A group*

Ábhar buartha *A source of concern*

Os comhair na cúirte *Before the court*

Mar gheall ar ionsaí a rinneadh *Because of an attack*

Ionsaí ar an bhfear óg *Attack on the young man*

Gortaíodh go dona é *He was badly injured*

I mbaol fós *Still in danger*

Tubaiste *A disaster*

Phléasc buama *A bomb exploded*

Maraíodh *Were killed*

Gortaíodh *Were injured*

Fógraíodh *Was announced*

Freagrach as an mbuama *Responsible for the bomb*

Ionsaí *Attack*

Crith talún *An earthquake*

Cré agus clocha *Clay and rocks*

Leagadh *Were knocked down*

An lucht tarrthála *Emergency services*

Tógadh iad go dtí an t-ospidéal *They were taken to hospital*

Scrios uafásach *Terrible damage*

Aonad 3

Cluastuiscint

Cuid A

Cloisfidh tú trí cinn d'fhógraí raidió sa chuid seo. Cloisfidh tú gach fógra <u>faoi dhó</u>.

Fógra 1

1a. Cén cineál comórtais atá i gceist anseo?

1b. Cé dóibh an comórtas?

2a. Cá mbeidh an comórtas ar siúl i mbliana?

2b. Cén táille a bheidh ar an gcomórtas?

2c. Cén spriocdháta atá ann do na hiarratais?

3. Cén t-ábhar a bheidh á phlé ag na hiarratasóirí?

Fógra 2

1a. Cé a bheidh i bhfeighil ar an gcomórtas seo?

1b. Cé dóibh an comórtas?

2a. Cé mhéad airgid atá sa duaischiste?

2b. Ainmnigh dhá cheann de na comórtais atá ann.

    i.

    ii.

3.   Cad atá le fáil ón oifig atá luaite san fhógra?

Fógra 3

1a. Cad a bheidh ag tosú arís ar TG4?

1b. Cé dó na cláir nua seo?

2a. Cad atá ann mar phríomhdhuais don fhoireann is fearr?

2b. Cén bhaint atá ag Bord na Gaeilge leis an gclár?

3.   Cé mhéad duine a bheidh ar na foirne?

Cuid B

Cloisfidh tú trí cinn de chomhráite sa chuid seo. Cloisfidh tú gach comhrá díobh <u>trí huaire</u>.

Comhrá 1

<u>An chéad mhír</u>

1.   Cad a bheidh ar siúl sa rang Gaeilge amárach?

2.   Breac síos na príomhphointí eolais atá ag Caroline.

    i.

    ii.

<u>An dara mír</u>

1.   Cén rud a chuireann iontas ar Caroline?

2.   Cén tuairim atá ag Pat ar an ábhar seo?

3.   Breac síos an pointe atá ag Pat i gcoinne an rúin.

    i.

    ii.

Comhrá 2

An chéad mhír

1. Cad a bhí ar siúl ag Gearóid nuair a ghlaoigh Pól air?

2a. Cén clár a bhí ar siúl?

2b. Cén fáth nach bhfuil sé ag éisteacht leis an gclár ar bhealach a haon?

An dara mír

1. Breac síos dhá phointe eolais faoi *RnaG*.

   i.

   ii.

2. Cá bhfuil an ceol is fearr le fáil ar an raidió, dar le Pól?

Comhrá 3

An chéad mhír

1. Cén t-ábhar cainte atá ag Liam agus Tríona?

2a. Cén nós a bhíodh ag muintir na tuaithe sna seanlaethanta, dar le Tríona?

2b. Cad a dhéanann siad anois?

3. Cad is cúis leis an bhfadhb seo, dar le Liam?

An dara mír

1. Cén réiteach atá ar an bhfadhb seo, dar leo. Dhá phointe.

   i.

   ii.

2. Cén drochshampla a luann Tríona faoin ól sa tír seo?

Cuid C

Cloisfidh tú trí cinn de phíosaí nuachta raidió/teilifíse sa chuid seo. Cloisfidh tú gach píosa díobh faoi dhó.

Píosa 1

1a. Cad a tharla sa Spáinn inné?

1b. Cén t-am?

   Breac síos trí pointe eolais eile faoin tubaiste seo.

i.

ii.

iii.

Píosa 2

1a. Cad a tharla inné sa tSeapáin?

1b. Cén t-am a tharla an tubaiste?

1c. Cá fhad a mhair sé?

2. Breac síos pointe eolais amháin eile faoin tubaiste.

i.

Píosa 3

1a. Cá raibh an fear seo inné?

1b. Cén fáth?

2. Cá bhfuil an fear óg anois agus conas mar atá sé?

Aonad 3

Cuid A

Fógra 1

Seo fógra faoin gcomórtas díospóireachta Gaeilge Ghael-Linn/*The Irish Times*. Comórtas bliantúil é seo do chumainn in institiúidí tríú leibhéal na tíre. D'éirigh thar cionn leis an gcomórtas anuraidh nuair a bhí sé ar siúl i gColáiste na hOllscoile, Corcaigh. Beidh an comórtas ar siúl i mbliana in Ollscoil Chathair Bhaile Átha Cliath. Glactar le hiarratais anois agus ní mór do na hiarratasóirí na sonraí faoina gcumann agus táille deich euro a sheoladh chuig Gael-Linn, Baile Átha Cliath faoin séú lá Feabhra. 'Síocháin sa Tuaisceart – aisling bhréagach' an rún a bheidh á phlé.

Fógra 2

Seo fógra ó Oireachtas na Gaeilge. Tá comórtas ar siúl acu agus fáiltíonn an tOireachtas roimh rogha saothair scríbhneoireachta i nGaeilge ó dhaoine óga. Tá seacht gcinn de chomórtais ann i mbliana agus duais-chiste de luach cúig mhíle euro le bronnadh. Tá rogha maith de chomórtais liteartha ann do dhéagóirí agus i measc na gcomórtas tá aistí, amhráin, filíocht, scéalta agus gearrscéalta. Tá eolas breise agus na treoirlínte ar fáil ó Oifig an Oireachtais, Sráid Fhearchair, Baile Átha Cliath 2. Ní mór do na hiarratais a bheith istigh roimh an chéad lá de mhí Iúil i mbliana.

Fógra 3

Seo fógra ó TG4. Beidh sraith nua den chomórtas iar-bhunscoile, Tráth na gCeist, ag tosú ar a ceathair a chlog tráthnóna Dé Sathairn seo chugainn. Luach trí mhíle euro d'ábhar oideachasúil, ríomhaire agus camcorder a bheidh mar phríomh-dhuais don scoil as a dtagann an fhoireann is fearr. Beidh Bord na Gaeilge ag déanamh urraíochta ar an bpríomh-dhuais agus ar an gclár. Ceathrar a bheidh ar gach foireann. Tá foirmeacha iontrála le fáil ó TG4 anois más mian le do scoil a bheith sa chomórtas seo. Is é seoladh TG4, Baile na hAbhann, Contae na Gaillimhe.

Cuid B

Comhrá 1

Caroline: Heileo?

Pat:	Á heileo, a Charoline! Pat anseo. Tá a fhios agat an díospóireacht a bheidh ar siúl sa rang Gaeilge amárach…?
Caroline:	Ó, ná habair liom faoi. 'Tá cúrsaí spóirt i mbaol ar fud an domhain'. Táim ag dul as mo mheabhair leis!
Pat:	Bhuel, an mbeidh tú ag labhairt ar son nó in aghaidh an rúin?
Caroline:	Nílim cinnte go fóill, ach ceapaim go mbeidh mé ar son an rúin.
Pat:	An bhfuil pointe ar bith agat mar sin?
Caroline:	Bhuel, bhí mé ag caint le mo dheartháir agus deir sé go bhfuil cúrsaí spóirt ag dul in olcas in aghaidh an lae maidir le drugaí agus an méid daoine a bhaineann úsáid astu anois i gcúrsaí spóirt.
Pat:	An-smaoineamh go deo! Bhí mé ag léamh giota sa nuachtán ar an dóigh sin an tseachtain seo caite.
Caroline:	Cuireann sé iontas orm go bhfuil daoine sásta úsáid a bhaint as drugaí in ainneoin an tástáil a bhíonn ar siúl i ngach spórt anois go rialta.
Pat:	Is iontach an rud é gan dabht ach b'fhéidir go gceapann siad gur fiú é a dhéanamh ar aon nós. Suim mhór airgid a bhíonn i gceist go minic.
Caroline:	Tá an ceart agat ach nach mbíonn náire ar bith orthu? Cén sampla é sin do dhaoine óga?
Pat:	Tá sé sin fíor, gan dabht. Beidh tú ag labhairt ar son an rúin mar sin?
Caroline:	Beidh mé. Céard fútsa? An bhfuil pointe ar bith agat i gcoinne an rúin?
Pat:	Bhuel, ceapaim go bhfuil. In ainneoin an drochshampla sin, is iontach an rud é an méid daoine óga a ghlacann páirt i gcúrsaí spóirt agus a bhaineann taitneamh as.
Caroline:	Intinn shlán i gcorp folláin mar a deir an seanfhocal.
Pat:	Ar aghaidh linn leis an obair mar sin. Slán, a Charoline!
Caroline:	Slán anois!

Comhrá 2

Gearóid:	Heileo!
Pól:	Heileo! Heileo! Pól anseo. Múch an diabhal torann sin anois. Ní féidir liom thú a chloisteáil ar chor ar bith!

Gearóid:	Gabh mo leithscéal. Bhí mé ag éisteacht le Raidió na Gaeltachta.
Pól:	Raidió na Gaeltachta! In ainm Dé! An ag magadh atá tú? Ní bhíonn rud ar bith ar siúl ar an stáisiún sin seachas ceol traidisiúnta!
Gearóid:	Bhuel, taitníonn ceol traidisiúnta go mór liom ach ní hé sin a bhí ar siúl nuair a ghlaoigh tú orm. Bhí mé ag éisteacht le 'Spórt an tSathairn'. Is iontach an clár é. Seán Bán Breathnach a bhíonn mar láithreoir ar an gclár.
Pól:	Ach nach mbíonn an cluiche céanna ar siúl ar Raidió a haon chomh maith.
Gearóid:	Bíonn, ach is fearr liom Seán Bán Breathnach.
Pól:	Ach an dóigh leat go mbíonn mórán daoine, seachas muintir na Gaeltachta ag éisteacht leis an stáisiún sin ar chor ar bith?
Gearóid:	Cinnte, éisteann muintir na Gaeltachta leis an stáisiún mar is orthu féin a fhreastalaíonn an stáisiún go speisialta. Tá figiúirí éisteachta RnaG ag méadú gach uile bhliain anois a léigh mé sa nuachtán inné. D'oscail siad stiúideo nua i halla pobail Ghaeltacht na Rinne le déanaí agus osclaíodh ceann eile anuraidh i Ráth Cairn. Ach ní mórán daoine óga a bhíonn ag éisteacht le RnaG ar chor ar bith, sin an rud a léigh mé ar aon nós.
Pól:	Éisteann siadsan le Raidió na Life, más féidir leo é a fháil dar ndóigh. Tá an ceol i bhfad níos fearr ar an stáisiún sin, ceapaim féin. Ní cheadaítear liricí Béarla ar RnaG agus is fíor-annamh a chloiseann tú amhrán Gaeilge sna cairteacha!!
Gearóid:	Sin fíor. Tá an ceart agat, a Phóil! Ach tá an dara leath den chluiche ag tosú anois agus ba mhaith liom éisteacht leis!
Pól:	Ceart go leor! Ceart go leor! Ar ais go SBB leatsa mar sin! Slán!

Comhrá 3

Tríona:	Ar léigh tú an giota sin sa nuachtán maidir leis an ráta coiriúlachta sa tír seo inné, a Liam?
Liam:	Léigh mé é cinnte agus chuir sé uafás orm.
Tríona:	Ní raibh ionadh orm ar chor ar bith, caithfidh mé a rá. Ní dóigh liom go bhfuil áit ar bith sa tír anois atá slán ón gcoiriúlacht. Tráth dá raibh, bhí muintir na tuaithe sásta dul amach an doras agus gan é a chur faoi ghlas ach anois! Bhuel

ní dóigh liom go bhfuil aon duine sásta fanacht ina thigh féin gan ghlas a chur ar an doras nó an t-aláram a chur ar siúl!

Liam: Tá an ceart agat. Bím buartha dul amach ag siúl liom féin san oíche ní hamháin sna cathracha ach i mbaile beag ar bith faoin tuath freisin.

Tríona: Aontaím leat go hiomlán ach cad is cúis leis?

Liam: Ceapaim féin go bhfuil baint ag cúrsaí ólacháin agus drugaí le líon na gcoireanna atá ag tarlú sa tír i láthair na huaire. Tá níos mó daoine óga ag ól sa tír seo anois ná in aon tír eile san Eoraip agus an fhadhb sin ag dul in olcas in aghaidh an lae. Éiríonn daoine níos corraithe nuair atá siad ar meisce agus go minic bíonn fonn troda orthu.

Tríona: Sin é go díreach. Tá níos mó daoine óga ag dul don ospidéal i láthair na huaire de bharr meisciúlachta agus gortuithe a tharlaíonn nuair atá siad ar meisce trí thimpistí nó nuair a bhí siad ag troid.

Liam: An bhfuil réiteach ar bith ar an bhfadhb seo, an dóigh leat?

Tríona: Bhuel, deir an rialtas go mbeidh níos mó Gardaí ar na sráideanna sa todhchaí agus tá ceamaraí CCTV á gcrochadh ag na Gardaí sna príomh-shráideanna ach fós nílim cinnte.

Liam: Ba chóir don rialtas an fhadhb seo a fhiosrú go dian. Ba chóir dóibh a fháil amach an fáth go bhfuil an leibhéal ólacháin i measc daoine óga chomh hard sin agus conas is féidir leo an scéal seo a leigheas nó a athrú ar aon nós.

Tríona: Is deacair é a dhéanamh, áfach. Ceapaim féin nach bhfuil dea-shampla le fáil sa tír seo do dhaoine óga. Feiceann siad daoine fásta ag ól agus iad ar meisce, bíonn fógraí i ngach uile áit anois don deoch seo nó don deoch nua siúd agus tugann na comhlachtaí sin urraíocht do gach uile fhéile a bhíonn ar siúl sa tír. Níl aon dul as an ól sa tír seo ar chor ar bith.

Liam: Tá an ceart agat, agus cad a dhéanfadh mac an chait ach luch a mharú? Sin a deir an seanfhocal ar aon nós.

Cuid C

Píosa 1

Phléasc buama inné in Aerfort Malaga sa Spáinn ar a haon déag a chlog ar maidin. Bhí an t-aerfort lán le turasóirí ag an am, iad uilig ag taisteal ar a laethanta saoire. Maraíodh beirt sa phléasc agus gortaíodh cúig duine is tríocha. Tógadh iad go dtí an t-ospidéal i Malaga agus fógraíodh aréir go raibh deichniúr díobh an-dona ar fad. Bhí ETA freagrach as an mbuama. Seo an tríú ionsaí a tharla i mbliana a bhain le ETA.

Píosa 2

Tharla crith talún inné ar a dó a chlog sa tSeapáin ar an oileán Okinawa. Maraíodh na céadta duine, meastar ach níl aon duine cinnte fós faoin méid a fuair bás. Tharla an chéad chrith ar a dó a chlog agus tharla ceann eile dhá uair ina dhiaidh sin a bhain 5.5 amach ar scála Richter. Níor mhair an dá chrith ach cúpla nóiméad ach rinne siad scrios uafásach. Tháinig cré agus clocha anuas ó na sléibhte agus leagadh crainn, tithe agus bóithre. Is deacair taisteal a dhéanamh san áit anois agus tá an lucht tarrthála ag baint úsáid as héileacaptair chun teacht i gcabhair ar na daoine atá ann.

Píosa 3

Bhí fear cúig bliana is fiche d'aois os comhair na cúirte i Luimneach inné mar gheall ar ionsaí a rinneadh ar fhear óg, fiche bliain d'aois taobh amuigh de theach tábhairne i lár na cathrach aréir. Thosaigh troid ar an tsráid timpeall a haon déag a chlog nuair a bhí an fear óg ag fágáil an tí tábhairne. Rinne dream a bhí ag feitheamh air ionsaí ar an bhfear óg le gloine agus scian agus gortaíodh go dona é sa chos agus sa bhrollach. Tugadh go hospidéal na cathrach é agus deirtear inniu go bhfuil an fear óg i mbaol fós.